KU-226-802

Nach seiner Rückkehr aus England – er hatte gerade seine Reise durch Schottland abgeschlossen – begann Fontane in den Jahrzehnten von 1859 bis 1892 seine Arbeit an den *Wanderungen durch die Mark Brandenburg*. Vieles, was Fontane beschrieb, gibt es heute nicht mehr, oder es hat sein Gesicht völlig verändert. Dennoch kann man zu vielen Orten, von Fontane angeleitet, reisen und wandern. Aus den *Wanderungen* wurden dazu Abschnitte gewählt, die heute noch gültig sind. Und nicht nur der Fontane der *Wanderungen* kommt dabei zu Wort, auch Zitate aus Erzählungen und Romanen, die ja vielfach die Mark spiegeln, runden die Auswahl ab.

Sie werden durch zahlreiche farbige Fotografien von Christel Wollmann-Fiedler ergänzt und zeigen die Schönheiten der Mark, wie wir sie heute sehen. Eine Karte und ein Ortsregister vervollständigen den Band.

Mit Fontane durch die Mark Brandenburg ist ein Wegweiser für Reisen in der Mark und im Werk Fontanes.

insel taschenbuch 1798
Mit Fontane durch
die Mark Brandenburg

Mit Fontane durch die Mark Brandenburg

Herausgegeben von Otto Drude
Mit farbigen Fotografien
von Christel Wollmann-Fiedler
Insel Verlag

insel taschenbuch 1798
Erste Auflage 1996
Originalausgabe

Textnachweise am Schluß des Bandes
Vertrieb durch den Suhrkamp Taschenbuch Verlag
Umschlag nach Entwürfen von Willy Fleckhaus
Satz: Hümmer GmbH, Waldbüttelbrunn
Druck: Konkordia Druck GmbH, Bühl
Printed in Germany

2 3 4 5 6 – 01 00 99 98

Inhalt

Vorbemerkung 11

Die Grafschaft Ruppin

Neu-Ruppin 20
Rheinsberg 28
Meseberg 33
Die Ruppiner Schweiz 34
Lindow 38
Gransee 39
Hoppenrade 42
Fehrbellin 46
Neustadt an der Dosse 49
Das Land der Rohrs 52

Havelland

Schloß Oranienburg 61
Tegel 65
Potsdam 70
Die Pfaueninsel 73
Bornstedt 75
Marquardt 78
Paretz 83
Der Schwielow und Caputh 87
Petzow 90
Werder 94
Das Havelländische Luch 96
Lehnin 101
Kleists Grab 107

Oderland

Chorin ... 115
Am Werbellin ... 118
Bad Freienwalde ... 120
Schiffmühle ... 122
Das Oderbruch ... 125
Möglin ... 129
Kunersdorf ... 132
Der Blumental ... 135
Friedland ... 136
Neu-Hardenberg ... 137
Buckow ... 141
Gusow ... 142
Friedersdorf ... 144
Küstrin ... 146
Tamsel ... 148

Spreeland

Spreewald ... 153
Beeskow-Storkow ... 154
Auf der Wendischen Spree ... 155
Schloß Köpenick ... 161
Müggelsberge und Müggelsee ... 165
Friedrichsfelde ... 167
Buch ... 168
Werneuchen ... 170
Königs Wusterhausen ... 173
Mittenwalde ... 175
Groß-Beeren ... 179
Klein-Machenow ... 184

Am Wannensee 190
Der Schildhorn bei Spandau 192

Drei lange Jahrzehnte – Fontanes Arbeit an den
»Wanderungen«. Nachwort von Otto Drude 195
Chronologie der Wanderungen 207
Fundstellen der angeführten Zitate 210
Bildlegenden 214
Ortsregister 215
Übersichtskarte 218

Vorbemerkung

Die folgenden Seiten wollen nicht den Versuch unternehmen, eine ›Kurzauswahl‹ der *Wanderungen durch die Mark Brandenburg* zu bieten. Fontanes Worte sollen Vorschläge unterstützen: Vorschläge, wieder einmal die ›Mark‹ zu besuchen.

»Ja, vorfahren vor dem Krug und über die Kirchhofsmauer klettern, ein Storchennest bewundern oder einen Hagebuttenstrauch, einen Grabstein lesen [...] *so* war die Sache geplant und *so* wurde sie begonnen.«

Mit Texten und Bildern will der Band anregen und zum Reisen in die Mark ›verführen‹. Viele der von Fontane besuchten Stätten, von denen er eindringlich erzählt, gibt es leider nicht mehr, oder nur Reste noch künden von ›verschwundner Pracht‹. Andere (östlich der Oder) sind schwierig zu erreichen, aber es bleiben doch genug, bei denen der Besuch sich lohnt. Sie sind zumeist bequem mit Bahn, Bus, Auto oder sogar mit dem Fahrrad zu erreichen.

Aus dem vielfältigen Angebot der *Wanderungen* wurde herausgesucht, was heute noch die Reize früherer Schönheit bewahrt hat.

Die Textauszüge aus den *Wanderungen* sollen die Situation mit Fontanes Worten zeichnen, beschreiben und Auskunft über Zusammenhänge und geschichtliche Beziehungen geben. Die Bilder – Fotos aus heutigen Tagen – ›untermalen‹ den Text und machen vielleicht neugierig: ›das sollte man einmal sich ansehen‹, oder ›da müßte man doch einmal hin‹. Vielleicht ist man auch schon aus anderen Gründen an der Havel, am Ufer der Oder oder an der Spree und erinnert sich dann, hier müßte doch ›Marquardt‹ liegen oder das ›Humboldt-Schlößchen‹ in Tegel: Hinfahren ist besser als Vorbeifahren.

Anregungen oder Stichworte wollen die kurzen Ausschnitte vermitteln und fordern: Hingehen, anschauen und dann vielleicht bestätigend sagen: Das hat sich gelohnt. Danach kann man die *Wanderungen* zur Hand nehmen und in ihnen nachlesen – alle Zitate werden nachgewiesen –, was Fontane gesagt hat: die Geschichten, die kleinen Anekdoten, die historischen Hintergründe und die Stimmungsbilder der Wandertage. Vielleicht vermögen die Zitate noch mehr, vielleicht blättert man in den Erzählungen und Romanen, die ja fast alle von dem großen ›Steinbruch‹ der *Wanderungen* leben, und liest, was in ›Hankels Ablage‹, am ›Eierhäuschen‹, in Kloster Wutz (d.i. Lindow) oder am ›Stechlin‹ geschah, oder man nimmt Fontanes Briefe zur Hand, den eindringlichsten Roman seines Lebens.

Wenn die wenigen Seiten dies vermögen, dann haben sie ihr Ziel erreicht: die ›Mark Brandenburg‹ mit Fontane zu erleben, wie er es wünschte, »daß das Lesen dieser Dinge dem Leser wenigstens einen Teil der Freude bereiten möge, den mir das Einsammeln seiner Zeit gewährte«.

Die Grafschaft Ruppin

Mit Schilderungen der nordwestlich von Berlin gelegenen »Grafschaft Ruppin«, in deren Mitte seine Heimatstadt Neuruppin liegt, begann Fontane die *Wanderungen durch die Mark Brandenburg*. Stadt und Grafschaft kannte er aus Kinder- und Jugendtagen, und die ersten Wanderfahrten nach seiner Rückkehr aus England (1859) führten ins Ruppiner Land. Besuche bei seiner Mutter, die seit 1847 – nach der Trennung von ihrem Mann – zusammen mit der Tochter Lischen in Neuruppin lebte, zeigten ihm die kleinen Städte, die Dörfer und die verstreutliegenden Herrenhäuser der Grafschaft.

»Der Ruppiner See, der fast die Form eines halben Mondes hat, scheidet sich seinen Ufern nach in zwei verschiedene Hälften. Die nördliche Hälfte ist sandig und unfruchtbar, und die freundlich gelegenen Städte Alt- und Neu-Ruppin abgerechnet ohne allen malerischen Reiz, die Südhälfte aber ist teils angebaut, teils bewaldet und seit alter Zeit her von vier hübschen Dörfern eingefaßt. [...] Wustrau liegt an der Südspitze des Sees. Der Boden ist fruchtbar, und wo die Fruchtbarkeit aufhört, beginnt das *Wustrausche Luch*, eine Torfgegend, die an Ergiebigkeit mit den Linummer Gräbereien wetteifert. Das eigentliche Dorf, saubere, von Wohlstand zeugende Bauernhäuser, liegt etwas zurückgezogen vom See; zwischen Dorf und See aber breitet sich der Park aus, dessen Baumgruppen von dem Dache des etwas hoch gelegenen Herrenhauses überragt werden. Dieses letztere gleicht auf ein Haar den adligen Wohnhäusern, wie sie während der zweiten Hälfte des vorigen Jahrhunderts in märkischen Städten und Dörfer gebaut wurden. [...] So ist auch das alte Herrenhaus

der Zieten, das freilich seinerseits eine reizende Lage voraus hat. Vorder- und Hinterfront geben gleich anziehende Bilder. Jene gestattet landeinwärts einen Blick auf Dorf, Kirche und Kirchhof, diese hat die Aussicht auf den See.

Wir kommen in einem Boot über den See gefahren, legen an einer Wasserbrücke an und springen ans Ufer. Ein kurzer Weg, an Parkgrün und blühenden Linden vorbei, führt uns an den Eingang des Hauses. Der Flur ist durch eine Glaswand in zwei Teile geteilt, von denen der eine, der mit Bildern und Stichen behängt ist, (darunter der bekannte Kupferstich Chodowieckies: Zieten sitzend vor seinem König) als Empfangshalle dient. Der andere Teil ist Treppenhaus. [...]

1786 starb *Hans Joachim* von Zieten. Achtundsechzig Jahre später folgte ihm sein Sohn *Friedrich* Christian Emil von Zieten, achtundachtzig Jahre alt, der letzte Zieten aus der Linie Wustrau [...] Im Übrigen aber war er unfähig, zu dem Ruhme seines Hauses auch nur ein Kleinstes hinzuzufügen; er fühlte sich nur als *Verwalter* dieses Ruhmes, ein Gefühl freilich, das ihm unter Umständen Bedeutung und selbst Würde lieh. [...] Sein Bestes war die Liebe und Verehrung, mit der er ein halbes Jahrhundert lang die Schleppe seines Vaters trug. In diesem Dienste verstieg sich sein Herz bis zum Poetischen in Gefühl und Ausdruck, wofür nur *ein* Beispiel hier sprechen mag. Auf dem mit Rasen überdeckten Kirchenplatz, etwa hundert Schritte vom Grabe Hans Joachims entfernt, erhebt sich ein hoher, zugespitzter Feldstein mit einer in den Stein eingelegten Eisenplatte. Und auf eben dieser Eisenplatte stehen in Goldbuchstaben folgende Worte:

Im Jahre 1851 den 23. April stand an dieser Stelle das Blücher'sche Husaren-Regiment, um den hier in Gott ruhenden Helden, den berühmten General der Cavallerie und Ahnherrn aller Husaren, Hans Joachim von Zieten, in Anerkennung seiner hohen Verdienste durch eine feierliche Parade zu ehren. Ruhe und Frieden seiner Asche! Preis und Ehre seinem Namen! Er war und bleibt der Preussen Stolz.

›Ahnherrn aller Husaren‹ – ein Poet hätt' es nicht besser machen können.«

Für Fontane war Hans Joachim Zieten der »liebenswürdigste und volkstümlichste aller Preußenhelden…« und schon 1846 schrieb er eines seiner bekanntesten und berühmtesten Gedichte – *Der alte Zieten*:

Joachim Hans von Zieten,
Husarengeneral,
Dem Feind die Stirne bieten,
Er tat's wohl hundertmal;
Sie haben's all erfahren,
Wie er die Pelze wusch,
Mit seinen Leibhusaren
Der *Zieten* aus dem Busch.

– – – – – – – – – –

Und als die Zeit erfüllet
Des alten Helden war,
Lag einst, schlicht eingehüllet,
Hans Zieten, der Husar:
Wie selber er genommen
Die Feinde stets im Husch,
So war der Tod gekommen
Wie Zieten aus dem Busch.

Am nördlichen Ostufer, etwas vom See entfernt, liegt Wuthenow. Mitte August 1882 erschien in der Sonntagsbeilage der ›Vossischen Zeitung‹ das Kapitel 14 der Erzählung *Schach von Wuthenow* mit der Überschrift ›In Wuthenow am See‹. Der

Rittmeister im Regiment Gendarmes, Schach von Wuthenow, reitet nachts von Berlin zum Schloß seiner Väter am Ruppiner See. »Schach passierte das Dorf und bog am Ausgang in einen schmalen Feldweg ein, der, allmählich ansteigend, auf den Schloßhügel hinaufführte. Rechts lagen die Bäume des Außenparks, links eine gemähte Wiese, deren Heugeruch die Luft erfüllte …« Wuthenow liegt abseits vom Ruppiner See und besitzt kein Schloß. Fontanes Schilderung war aber so farbig und wirklichkeitsnah, daß man Schloß Wuthenow unbedingt besuchen wollte. Zwei Wochen nach Erscheinen des Kapitels in der »Vossischen Zeitung« schrieb er seiner Frau: »Der hiesige märkische Geschichtsverein […] hatte nämlich gestern eine Exkursion nach Ruppin hin gemacht, und in der Einladung zu dieser Exkursion war ausgesprochen worden: ›Fahrt über den See bis *Schloß Wuthenow*, das neuerdings durch Th. F. eine so eingehende Schilderung erfahren hat.‹ Durch diese Einladung hatte das Comité nun eine Art von Verpflichtung übernommen, den Teilnehmern ›Schloß Wuthenow‹ zu zeigen, ein Schloß das blos nicht existiert, sondern überhaupt nie existiert hat. […] Einige der Teilnehmer haben aber bis zuletzt nach dem Schloß gesucht ›wenigstens die Fundamente würden doch wohl noch zu sehen sein.‹«

Neu-Ruppin

An der Nordspitze des ›Ruppiner Sees‹ liegt Neuruppin, die Stadt, in der Fontane geboren wurde.

»Ruppin hat eine schöne Lage – See, Gärten und der sogenannte ›Wall‹ schließen es ein. Nach dem großen Feuer, das nur zwei Stückchen am Ost- und Westrande übrig ließ (als wären von einem runden Brote die beiden Kanten übrig geblieben) wurde die Stadt in einer Art Residenzstil wieder aufgebaut. Lange, breite Straßen durchschneiden sie, nur unterbrochen durch stattliche Plätze, auf deren Areal unsere Vorvordern selbst wieder kleine Städte gebaut haben würden. Für eine reiche Residenz voll hoher Häuser und Paläste, voll Leben und Verkehr, mag solche raumverschwendende Anlage die empfehlenswerteste sein, für eine kleine Provinzialstadt aber ist sie bedenklich. Sie gleicht einem auf Auswuchs gemachten großen Staatsrock, in den sich der Betreffende, weil er von Natur klein ist, nie hineinwachsen kann. Dadurch entsteht eine Öde und Leere, die zuletzt den Eindruck der Langeweile macht.«

Das heimatliche Ruppin hatte für Fontane stets etwas ›Spießbürgerliches‹, und noch im Alter meinte er, »die unregelmäßigen Verba wären das einzig Unregelmäßige gewesen, was es in Ruppin gab«.

Das Haus, in dem er am 30. Dezember 1819 geboren wurde, ist die Löwen-Apotheke, die heute noch am Markt steht, und in einer kleinen Parkanlage der Stadt sitzt der ›Wanderer Fontane‹, eine Bronzeplastik von Max Wiese, die bereits 1907 – nur neun Jahre nach Fontanes Tod – mit einer Ansprache von Erich Schmidt eingeweiht wurde. Die Reichshauptstadt folgte erst drei Jahre später mit einem Denkmal im Tiergarten, zu dessen Einweihung Thomas Mann in der ›Berliner Zeitung‹ schrieb: »Unendliche Liebe, unendliche Sympathie und Dankbarkeit, ein Gefühl tiefer Verwandtschaft (vielleicht beruhend auf ähnlicher Rassenmischung), ein unmittelbares und instinktmäßiges Entzücken, eine unmittelbare Erheiterung, Erwärmung, Befriedigung bei jedem Vers, jeder Briefzeile, jedem Dialogfetzen von ihm, – das ist, da Sie fragen, mein Verhältnis zu Theodor Fontane.« Das Grab der

FONTAN
LÖWEN
HOMÖOPATHIE
APOTH

In diesem Hause
wurde
Theodor Fontane
am 30. December 1819
geboren.

APOTHEKE
ALLOPATHIE
Theodor
Fontane

Mutter, Emilie Fontane, geb. Labry, die mit einundsiebzig Jahren am 13. Dezember 1869 starb, ist erhalten.

»Verfallene Hügel, und die Schwalben ziehn
Vorüber schlängelt sich der Rhin,
Über weiße Steine, zerbröckelt all,
Blickt der alte Ruppiner Wall.
Die Buchen stehn, die Eichen rauschen,
Die Gräberbüsche Zweisprach tauschen,
Und Haferfelder weit auf und ab –
Da ist meiner Mutter Grab.«

Zum See hin liegt die ehemalige Dominikaner-Klosterkirche St. Trinitatis, die den Brand überstand und im 19. Jahrhundert nach Schinkels Plänen restauriert wurde. »Das Innere der Kirche [...] ist immer noch gerade kahl genug geblieben, um sich der ›*Maus* und *Ratte*‹ zu freun, die der den Deckenanstrich ausführende Maler in gewissenhaftem Anschluß an eine halb legendare Tradition an das Gewölbe gemalt hat. Die Tradition selbst aber ist folgende. Wenige Tage nachdem die Kirche, 1564, dem lutherischen Gottesdienst übergeben worden war, schritten zwei befreundete Geistliche, von denen einer noch zum Kloster hielt, durch das Mittelschiff und disputieren über die Frage des Tages. ›*Eher wird eine Maus eine Ratte hier über die Wölbung jagen*‹, rief der Dominikaner, ›*als daß diese Kirche lutherisch bleibt.*‹ Dem Lutheraner wurde jede Antwort hierauf erspart; er zeigte nur an die Decke, wo sich das Wunder eben vollzog. Unser Sandboden hat nicht allzuviel von solchen Legenden gezeitigt und so müssen wir das Wenige wert halten, was überhaupt da ist.«

Bereits zu Fontanes Zeiten waren zwei Namen fest mit Neuruppin verbunden: Karl Friedrich Schinkel und Gustav Kühn.

»Unter allen bedeutenden Männern, die Ruppin, Stadt wie Grafschaft, hervorgebracht, ist *Karl Friedrich Schinkel* der bedeutendste. Der ›alte Zieten‹ übertrifft ihn freilich an Popularität, aber die Popularität eines Mannes ist nicht immer ein Kriterium für seine Bedeutung. Diese resultiert vielmehr aus seiner reformatorischen Macht, aus dem Einfluß, den sein Leben für die Gesamtheit gewonnen hat, und *diesen* Maßstab angelegt, kann der ›Vater unsrer Husaren‹ neben dem ›Schöpfer unsrer Baukunst‹ nicht bestehn. Wäre *Zieten* nie geboren, so besäßen wir (was freilich nicht unterschätzt werden soll) eine volkstümliche Figur weniger, wäre *Schinkel* nie geboren, so gebräch' es unsrer immerhin eigenartig künstlerischen Entwicklung an ihrem wesentlichsten Moment.«

»Was uns, die wir die Mark durchreisen und beschreiben, mit besonderer Genugtuung erfüllt, ist der Umstand, daß die herrlichen Gegenden Südens, in denen er so lange geschwelgt, ihn nicht unempfänglich für die Reize seiner märkischen Heimat gemacht hatten. Er verachtete unsere Landschaft keineswegs, wie so viele tun, die sich dadurch das Ansehn feineren Kunstverständnisses zu geben vermeinen. Neben Palermo oder Taormina malte er ›die Oderufer bei Stettin‹ und selbst ›Stralau und die Spree‹ erschienen seinem Künstlerauge nicht zu gering. Alle unsere großen Landschafter haben in diesem Punkte empfunden wie Schinkel. Ich nenne nur *Blechen* ...

Der berühmteste Neuruppiner seiner Zeit war sicherlich Gustav Kühn. »Lange bevor die erste ›Illustrierte Zeitung‹ in die Welt ging illustrierte der Kühn'sche Bilderbogen die Tagesgeschichte, und was die Hauptsache war, diese Illustration hinkte nicht langsam nach, sondern folgte den Ereignissen auf dem Fuße.[...] kaum war Paskiewitsch in Warschau eingezogen, so breitete sich das Schlachtfeld von Ostrolenka mit grünen Uniformen und polnischen Pelzmützen vor dem erstaunten Blick der Menge aus, und tief sind meinem Gedächtnisse die Dänen eingeprägt, die in zinnoberroten Röcken vor dem Danewerk lagen, während die preußischen Garden in Blau auf Schleswig und Schloß Gottorp losrückten. Dinge, die keines Menschen Auge gesehen, die Zeichner und Koloristen zu Neuruppin haben Einblick in sie gehabt, [...] Die Frage nach dem *Recht* dieser Bilder ›die den Geschmack mehr verwildern als bilden‹ ist aufgeworfen und dabei hinzugesetzt worden, daß Leistungen der Art in künstlerisch gesegneteren Zeiten und bei feiner gearteten Völkern eine bare Unmöglichkeit sein würden. Vielleicht. Nach der künstlerischen Seite hin sind diese Dinge preis zu geben, aber sie haben eine andre, nicht minder wichtige Seite. Sie sind der dünne Faden, durch den weite Strecken unseres eigenen Landes, litauische Dörfer und masurische Hütten, mit der Welt draußen zusammenhängen. Die letzten Jahrzehnte mit ihrem rasch entwickelten Zeitungswesen, mit ihrer ins Unglaubliche gesteigerten Kommunikation haben darin freilich viel geändert, aber noch immer gibt es abgelegene Sumpf- und Heideplätze, die von Dehli und Kahnpur, von Magenta und Solferino nichts wissen würden, wenn nicht der *Kühn'sche Bilderbogen* die Vermittlung übernähme.«

Im Neuruppiner Heimatmuseum, einem stattlichen Bürgerhaus aus dem 18. Jahrhundert, kann der Besucher heute über 6000 dieser *Kühnschen Bilderbogen* bewundern.

Zu Fontanes Zeiten gehörte der Gasthof ›Zur Goldenen Krone‹ dem Ruppiner Michel Protzen. »Aus meiner frühesten Jugend entsinn' ich mich seiner. [...] Michel hieß er und Michel war er, der *deutsche Michel* in optima forma. [...] Ein deutscher Bürger, wenn er diesen Namen verdienen soll, muß Dreierlei haben: einen *Besitz* und ein *Recht*, und ein *Freiheitsgefühl* das aus Besitz und Recht ihm fließt. [...] Aber als das

Königreich Preußen ins Dasein sprang, stand es in deutschen Landen überall ziemlich schlecht mit dieser Dreiheit. *Hier* fehlte Besitz, *dort* Recht, und das Gefühl der Freiheit konnte nicht aufkommen. Nirgends aber lagen die Dinge kümmerlicher als in der Mark, weil nirgends die Besitzverhältnisse kümmerlicher lagen. Besitz schafft nicht notwendig Freiheit (Despotieen sind despotisch auch dem Reichtum gegenüber) aber der umgekehrte Satz ist richtig: keine Freiheit ohne Besitz. Und zehn Morgen Sandland sind kein Besitz. Der Ackerbürger des vorigen Jahrhunderts war ein ärmlicher, in die Stadt verschlagener Bauersmann, der, unmittelbar unter den Druckapparat des absoluten, überallhin eingreifenden Staates gestellt, sich nicht einmal der Täuschung einer Freiheit hingeben konnte, die für den zerstreut im Sande wohnenden und der Kontrolle mehr entrückten Landbewohner gelegentlich noch vorhanden war.«

Rheinsberg

Nördlich von Neuruppin liegt am Grienericksee Rheinsberg.

»*Rheinsberg* von *Berlin* aus zu erreichen ist nicht leicht. Die Eisenbahn zieht sich auf 6 Meilen Entfernung daran vorüber und nur eine geschickt zu benutzende Verbindung von Hauderer und Fahrpost führt schließlich an das ersehnte Ziel. Dies mag es erklären, warum ein Punkt ziemlich unbesucht bleibt, dessen Naturschönheiten nicht verächtlich und dessen historische Erinnerungen ersten Ranges sind.« So war es vor hundertfünfzig Jahren, als Fontane, von Neuruppin kommend, über den See fuhr:

»Im Flachboot stießen wir ab und so oft wir das Schilf am Ufer streiften, klang es, wie wenn eine Hand über knisternde Seide fährt. Zwei Schwestern saßen mir gegenüber. Die ältere streckte ihre Hand in das kühle, klare Wasser des Sees und außer dem dumpfen Schlag des Ruders vernahm ich nichts als jenes leise Geräusch, womit die Wellchen zwischen den Fingern der weißen Hand hindurchplätscherten. Nun glitt das Boot durch Teichrosen hin, deren lange Stengel wir (so klar war das Wasser) aus dem Grunde des Sees aufsteigen sahen; dann lenkten wir das Boot bis an den Schilfgürtel und unter die weitüberhängenden Zweige des Parkes zurück. Endlich legten wir an, wo die Wassertreppe ans Ufer führt, und ein Schloß stieg auf mit Flügeln und Türmen, mit Hof und Treppe und mit einem Säulengange, der Ballustraden und Marmorbilder trug. Dieser Hof und dieser Säulengang, die Zeugen vieler Lust, wie vielen Glanzes waren sie gewesen? [...] Hinter dem Säulengange glitzerten die gelben Schloßwände in aller Helle des Tags, kein romantischer Farbton mischte sich ein, aber Schloß und Turm, wohin das Auge fiel, alles trug den breiten historischen Stempel.«

Viele Jahre war Rheinsberg Refugium des Kronprinzen Friedrich. »Das Schloß war in alten Tagen ein gothischer Bau mit Turm und Giebeldach. Erst zu Anfang des vorigen Jahrhunderts trat ein Schloßbau in französischem Geschmack an die Stelle der alten Gothik«, der drei Jahrzehnte später von Wenzelslaus von Knobelsdorff (1699-1753) zu dem hellen und lichten Bau umgeformt wurde, der eines der Wahrzeichen der Mark wurde. Danach lebte hier der Bruder des Königs, Prinz Heinrich.

In *Der Stechlin* findet in Rheinsberg die Wahl für den Kreis Rheinsberg-Wutz statt, und das Gasthaus ›Prinzregent‹ des Romans ist der heutige ›Ratskeller‹ am ›Triangelplatz‹.

Meseberg

Südöstlich in Richtung auf Gransee zu liegt am Huvenowsee Schloß Meseberg, das Prinz Heinrich seinem Günstling, dem Major von Kaphengst, 1774 zum Geschenk machte oder vielmehr machen mußte, da der König die Entfernung des Günstlings vom Rheinsberger Hof gefordert hatte. »Schloß Meseberg war ein kostbarer Besitz, aber in den Augen des verblendeten Günstlings lange nicht kostbar genug. [...] Wie ein Zauberschloß liegt es auch heute noch da. Der Reisende, der hier über das benachbarte Plateau hinfährt, dessen öde Fläche nur dann und wann ein Kirchturm oder ein Birkengehölz unterbricht, ahnt nichts von der verschwiegenen Talschlucht an seiner Seite, von der steilabfallenden Tiefe mit Wald und Schloß und See. Dieser letztere, der Huvenowsee geheißen, ist eines jener vielen Wasserbecken, die sich zwischen dem Ruppinschen und dem Mecklenburgischen hinziehen und diesem Landstriche seine Schönheit und seinen Charakter geben.« Kaphengst verschwendete Unsummen für den weiteren Ausbau, in der Speisehalle ließ er ein großes Deckengemälde ausführen, eine Apotheose des Prinzen mit der Inschrift ›vota grati animi‹, doch aus Versehen oder Malice wurde dabei die letzte Silbe des letzten Wortes vergessen, so daß es jetzt pikanterweise ›vota grati ani‹ hieß.

In der zweiten Hälfte des 19. Jahrhunderts erwarb der Landgerichtsdirektor Carl Robert Lessing (1827-1911), Mitbesitzer der ›Vossischen Zeitung‹, Meseberg für seinen Sohn Gotthold. Er und seine Frau Emma luden oft Freunde und Bekannte, auch Fontane dorthin. »Gestern um 10 1/2 fuhr ich, in großer Kumpanei, nach Meseberg«, schrieb er einmal seiner Tochter Mete, »eine Stunde von Gransee. [...] Es war sehr nett, sowohl auf den Fahrten hin und zurück, wie an Ort und Stelle. Das Deckenbild mit der witzig unanständigen Inschrift [...] wurde wieder bewundert...« Wahrscheinlich bei einem dieser Besuche erfuhr Fontane die Skandalgeschichte des Ehepaares Ardenne, die zur Keimzelle der *Effi Briest* wurde. »Wo ist denn jetzt Baron A.?, fragte ich ganz von ungefähr. ›Wissen Sie nicht?‹ Und nun hörte ich, was ich in meinem Roman erzählt. Übrigens, glaube ich, wußte Frau Lessing den Namen der Dame nicht genau.« Als *Effi Briest* im Oktober 1895 erschien, sandte Fontane eines der ersten Exemplare an Emma Lessing mit den Zeilen: »Rückkehrt hier, was ich geschrieben habe, / Zur ursprünglichen Spenderin dieser Gabe.«

Die Ruppiner Schweiz

Beiderseits des Rhin, der, von Rheinsberg kommend, zahlreiche kleine Seen bildet, bis er in den Ruppinersee fließt, liegt die ›Ruppiner Schweiz‹.

»Die Schweize werden immer kleiner, so gibt es nicht blos mehr eine *Märkische*, sondern bereits auch eine *Ruppiner* Schweiz, der es übrigens, wenn man ein freundlich-aufmerksames Auge mitbringt, weder an Schönheit noch an unterscheidenden Zügen fehlt. Sie besitzt beides in ihrem Wasserreichtum. [...] Wer will sagen, wenn er die Ruppiner Schweiz durchwandert, wo ihr Zauber am mächtigsten wirkt.

Und fragst du *doch*: den *vollsten* Reiz
Wo birgt ihn die Ruppiner Schweiz?
Ist's norderwärts in Rheinsbergs Näh'?

Ist's süderwärts am Molchow-See?
Ist's Rottstiel tief im Grunde kühl?
Ist's Kunsterspring, ist's Boltenmühl?
Ist's Boltenmühl, ist's Kunsterspring?
Birgt Pfefferteich den Zauberring?
Ist's ›Binenwalde?‹ – nein, o nein,
Wohin du kommst, da wird es sein,
An jeder Stelle gleichen Reiz
Erschließt dir die Ruppiner Schweiz.«

Am schönsten ist es westlich des Rhin, und westlich weiter geht es in die ›Menzer Forst‹ bis zum ›Großen Stechlin‹, dem geheimnisvollen See, Zentrum des ›Fontane-Landes‹. Zu Wagen fuhr Fontane durch den Wald, »als plötzlich, zwischen den Stämmen hin, eine weite Wasserfläche sichtbar wurde, darauf hell und blendend fast die späte Nachmittagssonne flimmerte. ›Das ist der Stechlin‹ hieß es. Und im nächsten Augenblicke sprangen wir ab und schritten auf ihn zu.

Da lag er vor uns, der buchtenreiche See, geheimnisvoll, einem Stummen gleich, den es zu sprechen drängt. Aber die ungelöste Zunge weigert ihm den Dienst und was er sagen will, bleibt ungesagt.

Und nun setzten wir uns an den Rand eines Vorsprungs und horchten auf die Stille. *Die* blieb, wie sie war: kein Boot, kein Vogel; auch kein Gewölk. Nur Grün und Blau und Sonne.«

Das sind Fontanes Erinnerungen an eine Septemberfahrt des Jahres 1873, die er zusammen mit einem Ruppiner Freund aus Kindheitstagen unternahm. Sie blieben ihm unvergeßlich, zwei Jahrzehnte später schrieb er die Geschichte des *Stechlin*.

»Im Norden der Grafschaft Ruppin, hart an der mecklenburgischen Grenze, zieht sich von dem Städtchen Gransee bis nach Rheinsberg hin (und noch darüber hinaus) eine mehrere Meilen lange Seenkette durch eine menschenarme, nur hie und da mit ein paar alten Dörfern, sonst aber ausschließlich mit Förstereien, Glas- und Teeröfen besetzte Waldung. Einer der Seen, die diese Seenkette bilden, heißt ›der *Stechlin*‹.« So beginnt sein letzter Roman. »Zum Schluß stirbt ein Alter, und zwei Junge heiraten sich; – das ist so ziemlich alles, was auf 500 Seiten geschieht.«

»Zwischen flachen, nur an einer einzigen Stelle steil und quaiartig ansteigenden Ufern liegt er da, rundum von alten Buchen eingefaßt, deren Zweige, von ihrer eignen Schwere nach unten gezogen, den See mit der Spitze berühren. Hie und da wächst ein weniges von Schilf und Binsen auf, aber kein Kahn zieht seine Furchen, kein Vogel singt, und nur selten, daß ein Habicht drüber hinfliegt und seinen Schatten auf die Spiegelfläche wirft. Alles still hier. Und doch, von Zeit zu Zeit wird es an eben dieser Stelle lebendig. Das ist, wenn es weit draußen in der Welt, sei's auf Island, sei's auf Java zu rollen und zu grollen beginnt oder gar der Aschenregen der hawaiischen Vulkane bis weit auf die Südsee hinausgetrieben wird. Dann regt sich's auch *hier*, und ein Wasserstrahl springt auf und sinkt wieder in die Tiefe.«

Hier am Stechlin sollte man sich Zeit nehmen und die ersten Seiten des Romans wieder lesen, vielleicht auch noch das Kapitel (es ist das 28.), in dem Dubslav von Stechlin den aus Berlin angereisten Barbyschen Damen seinen See vorstellt.

Lindow

In einem Kapitel des *Stechlin*, es ist das sechste, reiten die Freunde des Rittmeisters Woldemar von Stechlin, Rex und Czako – »wobei man gern die Frage dahinstellt, ob preußische Leutnants je so anmutigen Geistes gewesen sind?« (Th. Mann) –, vom Stechlinsee kommend, auf Kloster Wutz zu: »Die große Chaussee, darauf ihr Weg inzwischen wieder eingemündet, stieg allmählich an, und als man den Höhepunkt dieser Steigung erreicht hatte, lag das Kloster samt seinem gleichnamigen Städtchen in verhältnismäßiger Nähe vor ihnen. Auf ihrem Hinritte hatten Rex und Czako so wenig davon zu Gesicht bekommen, daß ein gewisses Betroffensein über die Schönheit des sich ihnen jetzt darbietenden Landschafts- und Architekturbildes kaum ausbleiben konnte.« Es war vor allem die »große Felssteingiebelwand«, die sie beeindruckte.

Kloster Wutz, das ist Lindow am Wutzsee. »Lindow ist so reizend wie sein Name. Zwischen drei Seen wächst es auf und alte Linden nehmen es unter ihren Schatten. [...] *Kloster* Lindow wurde gegen Ende des 12. oder Anfang des 13. Jahrhunderts von dem Grafen Gebhardt von Ruppin und Lindow als ein Prämonstratenser Nonnenkloster gegründet.« Durch die Säkularisation wurde Kloster Lindow nunmehr ein ›Fräuleinstift‹, »und an die Stelle der Äbtissin und ihrer 35 Nonnen trat eine Domina mit 4 Fräuleins«. Das Einkommen sank, und das Grundeigentum schrumpfte zusammen, das Kloster verfiel. Schon in *Vor dem Sturm* schildert Fontane Lindow: »Auf einer schmalen Landzunge zwischen zwei märkischen Seen liegt das adlige Stift *Lindow*. Es sind alte Klostergebäude: Kirche, Refektorium, alles in Trümmern, und um die Trümmer her ein stiller Park, der als Begräbnisplatz dient, oder ein Begräbnisplatz, der schon wieder Park geworden ist. Blumenbeete, Grabsteine, Fliederbüsche und dazu Kinder aus der Stadt, die zwischen den Grabsteinen spielen.« Hierhin zieht es Renate von Vitzewitz am Schluß des Romans: »So will ich denn nach ›Kloster Lindow‹, unserem alten Fräuleinstift. Da gehör' ich hin. Denn ich sehne mich nach Einkehr bei mir selbst und nach den stillen Werken der Barmherzigkeit.«

»Jetzt ist es Wirtschafthof, Eis- und Vorratskeller der drei, vier Damen, die hier ihre Tage leben und beschließen, und *jeder* Zauber wäre dieser Verfallstätte längst abgestreift, wenn nicht die hohen, stehengebliebenen Giebelwände wären« – diese Giebelwände sind auch heute noch der Zauber und Reiz von Lindow.

»Wie seh ich, Klostersee, Dich gern!
Die alten Eichen stehn von fern,
Und flüstern, nickend, mit den Wellen.
– – – – –
Und Gräberreihen auf und ab;
Des Sommerabends süße Ruh
Umschwebt die halbzerfallnen Grüfte.«

Gransee

Gransee, die »östlichste Stadt der *Grafschaft*«, war Bahnstation für Stechlin und Kloster Wutz, sprich Lindow. Hier wurden Melusine und Armgard von Barby mit dem Schlitten abgeholt, und bis hierhin fuhr Fontane, wenn er diese Gegenden bereiste.

Das bedeutsamste Denkmal der Stadt ist heute noch das »Luisen-Denkmal«. Als am 19. Juli 1810 die erst vierunddreißigjährige Königin Luise, Gemahlin des Königs Friedrich Wilhelm III. und Mutter der späteren Könige Friedrich Wilhelm IV. und Wilhelm I., bei ihrem Vater in Hohenzieritz in Mecklenburg starb, war für die nächsten Tage die Überführung nach Berlin vorgesehen. Halber Weg und erste Stadt in Preußen war Gransee.

»An der Stadtgrenze von *Gransee*, bei der sogenannten Baumbrücke, wurde der Zug von den städtischen Behörden empfangen und auf jenen oblongen Platz geleitet, der jetzt den Namen ›*Luisen-Platz*‹ [heute: ›Schinkelplatz‹] führt. [...] Am 26. Juli früh setzte sich der Kondukt, auf Oranienburg zu, wieder in Bewegung; am 27. traf er in Berlin ein. Zur Erinnerung an diese Nacht vom 25. auf den 26. Juli wurde, seitens der Stadt Gransee wie des Ruppiner Kreises, das ›*Luisen-Denkmal*‹ errichtet. Es ist von Eisen; Einzelnes vergoldet. *Schinkel* entwarf die Zeichnung ...«

»Am 19. Oktober 1811 wurde das Monument im Beisein des damals zehnjährigen Prinzen *Carl* von Preußen enthüllt. So oft der König später, bei Gelegenheit seiner Besuchsreisen nach Neu-Strelitz, *Gransee* passierte, ließ er den Wagen an dieser Stelle halten. Am Abend des 19. Juli 1860, also am fünfzigjährigen Todestag der Vollendeten, wurde bei Fackelschein und unter dem Geläut aller Glocken, eine liturgische Andacht an eben diesem Denkmal abgehalten. Nicht nur Stadtbewohner, auch Angehörige des Kreises waren in großer Zahl erschienen.«

Das Denkmal ist erhalten und steht noch heute in Gransee. »Und wie Gransee durch dieses Denkmal sich selber ehrte, so glänzt auch sein Name seitdem in jenem poetischen Schimmer, den *alles* empfängt, was früher oder später in irgend eine

Beziehung zu der leuchtend-liebenswürdigen Erscheinung dieser Königin trat. [...] Königin Luise [...] stand inmitten des *Lebens*, ohne daß das Leben einen Schatten auf sie geworfen hätte. Wohl hat sich die Verleumdung auch an *ihr* versucht, aber der böse Hauch vermochte den Spiegel nicht auf die Dauer zu trüben. *Mehr* als von der Verleumdung ihrer Feinde, hat sie von der Phrasenhaftigkeit ihrer Verherrlicher zu leiden gehabt. Sie starb *nicht* am ›Unglück des Vaterlandes‹, das sie freilich bitter genug empfand. Übertreibungen, die dem Einzelnen seine Gefühlswege vorschreiben wollen, reizen nur zum Widerspruch.

Das Luisen-Denkmal zu Gransee hält das rechte Maß; es spricht nur für sich und die Stadt und ist rein persönlich in dem Ausdruck seiner Trauer. Und deshalb rührt es.«

Ein anderes Denkmal dieser »leuchtend-liebenswürdigen Erscheinung« steht heute mitten in Berlin, in der Friedrich-Werderschen Kirche, die Schinkel 1821 bis 1831 erbaut hatte, es ist die sogenannte »Prinzessinnengruppe« von Johann Gottfried Schadow (1764-1850). Schadow hatte 1797 ein Doppelstandbild in Marmor der beiden Prinzessinnen Luise (*1776) und Friederike (*1778) von Mecklenburg-Strelitz geschaffen, die beide seit 1793 mit dem Kronprinzen Friedrich Wilhelm und dem Prinzen Ludwig von Preußen vermählt waren.

Hoppenrade

Hoppenrade ist von Gransee leicht zu erreichen. Kurz vor Löwenberg biegt rechts der Weg nach Hoppenrade ab. Im Frühjahr 1861 besuchte Fontane zum erstenmal Hoppenrade. »Ein Freund, der es schon oberflächlich kannte, hatte für jenen Tag die Führung übernommen, und nicht ohne Neugier und Erregung war es, daß ich nach dem ›verwunschenen Schlosse‹ hin aussah, [...] Niemand aber kam uns zu grüßen, freilich auch niemand uns den Zutritt zu wehren ...« Beide gingen durch das Schloß, besichtigten die Schloßkapelle, und Fontane spürte sofort: »Alles rätselhaft.« Er erfuhr karge Einzelheiten, »daß Hoppenrade Bredowsch und später erst ein Frau von Arnstedtscher Besitz gewesen sei. Das war etwas, aber doch nicht genug...« Viele Jahre mußten vergehen, ehe er weitere Einzelheiten und Informationen sammeln konnte, um die Geschichte von Hoppenrade und von der ›Krautentochter‹ erzählen zu können. 1880 vermittelte ihm Graf Eulenburg die Verbindung zur Familie von Knyphausen in Ostfriesland. In deren Familienarchiv fand er, was er brauchte. Danach arrangierte er alles neu und arbeitete ab 1881 an der Geschichte, die schließlich als ›Ein Kapitel aus der Prinz-Heinrich-Zeit‹ unter dem Haupttitel *Hoppenrade* in der ›Vossischen Zeitung‹ im Frühsommer 1882 erschien und später in *Fünf Schlösser* aufgenommen wurde.

Im Mittelpunkt der Geschichte stand die ›Krautentochter‹, jene Charlotte von Kraut, die, Tochter eines Hofmarschalls des Prinzen Heinrich in Rheinsberg, um 1762 geboren wurde. Ihr Leben ist die Geschichte vom Glanz eines kleinen Hofes, von Liebe und Intrige, Eifersucht und Duell, Reichtum und Machtgier. Als Sechzehnjährige wird sie an den englischen Gesandten Hugh Elliot verheiratet. »Er hatte nichts von dem Ruhigen, Gesetzten, Distingierten, das eine Gesandtschaftsstellung erheischt, wirkte vielmehr in seiner Bartlosigkeit und halb knabenhaften Figur absolut unfertig und nicht viel besser als ein von einer steten Unruhe geplagter Springinsfeld.« Seine Liebe war mehr »die Zuneigung eines Kindes, das heute mit der Puppe spielt, morgen sie schlägt und piekt und übermorgen sie aufschneidet, um zu sehen, wie's drin aussieht und ob sie ein Herz hat«. Er wird nach Kopenhagen versetzt, Charlotte bleibt in Rheinsberg, und ein Baron von Knyphausen, der aus Ostfriesland an den Hof Prinz Heinrichs gekommen war, wird ihr Vertrauter. Elliot fordert den Baron zum Duell, es kommt zum Zweikampf, die Scheidung wird ausgesprochen, und wenig später ist die nun Zweiundzwanzigjährige Baronin von Knyphausen. Kinder werden geboren, die umstrittene Bredowsche Erbschaft der Löwenberger Güter mit Hoppenrade fällt an die ›Krautentochter‹, Charlotte Baronin von Knyphausen. Ende des Jahres 1789 stirbt ihr Mann. »Baron Knyphausen war im Krautschen Erbbegräbnis in der Berliner Nicolaikirche beigesetzt worden und eine Woche lang läuteten allabendlich auch die Löwenberger Glocken und verkündeten dem umherliegenden Lande, daß der Gutsherr gestorben sei. Dann saß auch seine Witwe, die Krautentochter, am Fenster und sah in die Schneelandschaft hinaus, die lange Linie der Pappelweiden hinunter, aus deren Gipfeln einzelne Krähen in den dunkelgeröteten Abendhimmel aufflogen.«

Nur ein knappes Jahr später war sie wieder, nun zum dritten Male, verheiratet. »Verheiratet mit dem, dem Prinz Heinrichschen Hofe zugehörigen Rittmeister von Arnstedt. [...] Nun gab es doch wieder Ausgelassenheiten, und an die Stelle von Elliotscher Eifersucht und Brutalität und nicht minder an die Stelle von Knyphausenscher Krankheit samt Trauer und Krepp (von Krepp, der ihr nicht einmal kleidete) konnte doch nun wieder ein Leben treten, ein Leben, das sich zu leben verlohnte. Sie lachte so gern. Und warum nicht? War sie doch jung. Ihr neunundzwanzigster Geburtstag fiel in die Flitterwochen ihrer dritten Ehe.« Dann aber starb Prinz Heinrich, die Feste waren vorbei, und auch ihre dritte Ehe war ein Fiasko. Arnstedt war Trinker und Spieler, wurde schließlich geistesgestört, eine Scheidung war unausweichlich.

Fast aufgezehrt war der Reichtum in den letzten Jahren des Wohllebens, dunkle Wolken zogen über Hoppenrade, und ›Geld und wieder Geld‹ wurde die Losung. Ein Untergebener, »zu dessen Klugheit und Umsicht sie gleichzeitig ein großes Vertrauen hatte, war ihr dabei zu Willen. Es war dies der Oberförster [...] ein Lebemann, frank und frei, der aller Welt gefiel, vor allem auch seiner Herrin.« Alles wurde nach dem Grundsatz ›après nous le déluge‹ geführt, und als es schließlich zum Ende kam, »war die lebenslustige Dame, die nicht sparen und marchandieren und aller wachsenden Lebensnot unerachtet auch nicht entbehren oder gar entsagen gelernt hatte [...] nicht mehr unter den Lebenden.« Am 13. September 1819 starb sie mit 57 Jahren in Berlin. »Ist es richtig (und es wird richtig sein), daß sie der Typus einer ›vornehmen Dame‹ des vorigen Jahrhunderts war, so liegt uns die Pflicht ob, sie nicht bloß aus ihrer Epoche, sondern vor allem auch aus ihrem *Gesellschaft*-Kreise heraus zu beurteilen, will sagen aus einem Kreise heraus, darin der Charakter nicht viel und die Tugend noch weniger bedeutete, und in dem, bei Beurteilung schöner Frauen, über vieles hinweggesehen werden durfte, wenn sie nur über *drei* Dinge Verfügung hatten, über Schönheit, Esprit und Charme.«

Das war das wirkliche Leben, für einen Roman fast zu viel, Fontane spürte das, und es blieb bei dem Kapitel für die *Fünf Schlösser*. Dennoch spukt die ›Atmosphäre‹ dieses Frauenlebens in manchem seiner Romane, in *Vor dem Sturm* (Tante Amélie), in *Cécile*, und bereits schon im Fragment gebliebenen *Allerlei Glück:* »Es gibt *allerlei Glück* und es gibt sogar *allerlei Moral*. Dies steht im nächsten Zusammenhang. Denn an unserer Moral hängt unser Frieden und an unserm Frieden hängt unser Glück. Aber unsre Moral ist so mannigfach wie unser Glück. Es gibt nicht Formeln dafür, die überall hinpassen; für den einen paßt dies, für den andern das.«

Heute noch macht Schloß ›Hoppenrade‹ einen ›verwunschenen‹ Eindruck und ist vom Verfall bedroht, es soll jedoch erhalten werden. Die Schloßkapelle wurde bereits in den fünfziger Jahren restauriert.

Fehrbellin

Heute trennt die Autobahn das Grafschaftsland: westlich in die Gegend beiderseits des Rhin und östlich in die beiderseits der Dosse, und »schon im Havelland, aber unmittelbar an der Grenze der Grafschaft Ruppin (kaum eine Viertelstunde davon entfernt), liegt Ferbellin und sein berühmtes Schlachtfeld«. Fontane nahm das Kapitel über das »berühmte Schlachtfeld« in die Erstausgabe der *Wanderungen* auf, die eigentlich nur der Ruppiner Grafschaft gewidmet war, später einmal sollte es in den Band *Havelland* übernommen werden, was aber nicht geschah.

»Ferbellin liegt am Ausgange des Dammes, an der Südseite des Rhin. Die Einfahrt in die Stadt ist reizend, besonders der Blick von der Rhinbrücke aus, die wir eben passieren. Zur Linken, im Schmucke hoher Silberpappeln, streckt sich vom jenseitigen Ufer her eine Halbinsel in das schilfige Flüßchen hinein und gibt dem Ganzen den Charakter einer ins Wasser vorgeschobenen Parkanlage.« Eigentlich fand das berühmte Reitergefecht bei dem Dorf Hakenberg statt, »das indeß, zum Glück für alle preußischen Poeten, statt des Namens ›Gefecht bei Hakenberg‹ den schönen Namen der *Schlacht von Fehrbellin* erhalten hat. Jeder, der sich in der Welt der Reime umhergetummelt hat, wird sich der Verlegenheiten entsinnen, die ihm die Silben ›berg‹ und ›burg‹ bereitet haben. Vollklang und Reimfülle aber stehen wie lachende Genien neben dem Wort ›Fehrbellin‹.

Am 18. Juni 1675 (»immer 18. bei uns«, wie es im *Stechlin* heißt) besiegte hier die Kavallerie des Großen Kurfürsten die zahlenmäßig stärkeren Schweden und konnte sie für immer aus dem Land vertreiben. Das Datum wurde zur ›Geburtsstunde Preußens‹ hochgelobt. Am zweihundertsten Jahrestag der Schlacht – 1875 – wurde ein Turm errichtet, den eine Viktoria (nach einem Entwurf von Chr. Rauch) krönte und von dem man heutzutage eine gute Aussicht über das Fehrbelliner Land hat.

Fehrbellin wird zumeist mit dem Kleistschen »Prinz Friedrich von Homburg«,

> »Nun, o Unsterblichkeit, bist Du ganz mein!
> Du strahlst mir durch die Binde meiner Augen,
> Mit Glanz der tausendfachen Sonne zu!«

verbunden, der jedoch mit dem wirklichen Prinzen nichts gemein hat. Bei der ersten Lektüre der Kleistschen Dramen, während einer Sommerfrische 1872 in Krummhübel, war Fontane irritiert, für ihn war der Prinz »ein Schürzenjäger, aber kein Held; eine in kleinster Selbstsucht befangene Natur«. Als er jedoch Jahre später die Aufführung zum hundertsten Geburtstag des Dichters sah, nannte er es »das schönste und vollendetste Stück, das uns der unglückliche, an der Zeiten Mißgunst gescheiterte Dichter hinterlassen hat.[...] Die Last des Tages – oft auch ganz speziell die Last des Abends –

fällt von einem ab, und die reine Luft wirklicher Kunst erquickt den Ermüdeten und facht die alten Hoffnungen auf goldene schöne Tage wieder an. Und rücken diese Tage auch immer wieder hinaus wie die Bilder der Fata Morgana, es ist doch ein Glück, sie dann und wann als bloße Verheißung erscheinen zu sehen.«

Die »Fehrbelliner Flur« selbst war für Fontane: »wenig poetisch [...] Die Umgebung ist schlicht-märkisch, aber nicht fehrbellinisch. Ein Kartoffelfeld schließt das Denkmal ein, und die einzige Hoffnung, die dem Besucher bleibt, knüpft sich an die Lehre von der Fruchtfolge. Eine liebenswürdige Dame, die als Prinzessin Clothilde [Natalie] im Kleistschen Drama ihren ersten Bühnentriumph gefeiert, hatte mir den Auftrag gegeben, ihr Blumen vom Fehrbelliner Schlachtfeld mitzubringen. Lebhaft und phantasievoll, wie sie war, hatte sie sich die Umgegend von Hakenberg wie einen Rosengarten gedacht. Da stand ich nun und suchte umher; Schafgarbe, Winde und Glockenblume war alles, wozu sich die Natur hier zusammenraffte. Ich gab es auf, einen Strauß an dieser Stelle zu pflücken, und borgte von einem Nachbarfelde drei Haferhalme, die ich später mit folgenden Zeilen überreichte:

Auf der Fehrbelliner Flur
Gabe es *Blumen* am Schlachttag nur.
Märkische *Rosse* gewannen die Schlacht,
Haben das Feld berühmt gemacht.
Und dies Feld, es zahlt mit Glück
Alte Schulden in *Hafer* zurück.«

Neustadt an der Dosse

1861 besuchte Fontane Neustadt und noch einmal im September 1873, denn in dieser Stadt hatte von 1662 bis 1694 der wirkliche ›Prinz von Hessen-Homburg‹ residiert.

»Prinz Friedrich von Hessen-Homburg, dies sei voraus bemerkt, war vor allem nicht *der*, als der er uns in dem H. v. Kleistschen Schauspiel entgegentritt. Der H. v. Kleistsche und der historische Prinz von Homburg verhalten sich zu einander wie der Goethesche und der historische Egmont. Sie waren in der Zeit, wo sie hervortraten, keine Liebhaber und keine Leichtfüße mehr, vielmehr ernste Leute von mittleren Jahren und reichem Kindersegen, überhaupt ebenso gute Ehemänner wie Patrioten.«

1633 geboren, ging der Prinz als junger Mann in schwedische Dienste, verlor ein Bein, das ihm künstlich ersetzt wurde, »weshalb er seitdem der ›*Prinz mit dem silbernen Bein*‹ hieß. Neben Götz von Berlichingen wohl der einzige Fall einer derartigen Namensgebung.« Noch nicht dreißigjährig nahm er den Abschied und trat später in die Armee des Kurfürsten von Brandenburg ein, in der er bald zum General der Kavallerie aufstieg. Inzwischen hatte er sich in Brandenburg, in Neustadt, niedergelassen.

»Am ›Tage von Fehrbellin‹ führte er die Avantgarde, hing sich mit dieser an die Schweden, brachte sie zum Stehen und wurde so die vorzüglichste Ursache zum Siege über dieselben.« Erst im folgenden Jahrhundert kam die Legende von Insubordination, Zorn des Kurfürsten und Kriegsgericht auf.

In Neustadt gibt es heute noch ein beachtenswertes ›Hengstdepot‹, und die ›Neustädter Pferdetage‹ sind weiterhin beliebt und viel besucht.

Das Land der Rohrs

Bei Leuthen, Lipa, Leipzig,
An der Katzbach und an der Schlei,
Von Fehrbellin bis Sedan, –
Ein Rohr war immer dabei.

Der Nordosten von Neustadt ist Rohrsches Land mit Tramnitz, Trieplatz und Ganzer. »Trieplatz liegt eine Meile nördlich von Wusterhausen an der Dosse. [...] Die ganze Gegend am Dosseufer hin, ist [...] witwenhaft traurig und mit keinem andern Reize ausgestattet als dem *einen*, den ihr eben dies *Witwenkleid* leiht. Wohl ist dies Kleid unter den Händen der Kultur, die hier und dort, wie eine heitere Enkelin, ein buntes Band eingeflochten hat, um seinen vollen Trauergehalt gekommen, aber das, was vorherrscht und nach wie vor den *Charakter* gibt, ist doch immer noch das monotone Grau, das selbst der Ackerscholle nicht fehlt, die daliegt, als ob Asche über ihr frisches Braun ausgestreut worden wäre.« Seit den fünfziger Jahren war Fontane mit Mathilde von Rohr bekannt. 1810 in Trieplatz geboren, kam sie mit zweiundzwanzig Jahren, nach dem Tode des Vaters, mit ihrer Mutter und den Schwestern nach Berlin. Sie blieb unverheiratet, wohnte in der Behrenstraße und stand einem kleinen Zirkel vor, »in dem, unter Zurücktritt der Maler und Gelehrten, das Dichterelement in den Vordergrund trat.«

In Trieplatz lebte im 18. Jahrhundert Georg Moritz von Rohr, der sich selbst den Namen des ›Hauptmanns von Kapernaum‹ gegeben hatte. Er war ein Original und brachte es auf vier Frauen. »Die ›vier Frauen nehmen‹ war im vorigen Jahrhundert, wenn es die Verhältnisse gestatteten, an der Tagesordnung. Selbst die Unbequemlichkeit, daß – wenigstens seitens des Adels und Militärs – ein Consens beim Könige eingeholt werden mußte, hielt nicht davon ab. Herr v. *Hagen* auf Nakel bat sogar zum *fünften* Mal um die Erlaubnis und erhielt als Antwort weder Zustimmung noch Ablehnung, sondern die echt altenfritzige Replik: Er braucht *künftig* nicht mehr einzukommen.« Fontanes Großvater, Pierre Barthélemy Fontane, hatte ›drei Frauen genommen‹, Fontanes Vater Louis Henri stammte aus der ersten Ehe. Der ›Hauptmann von Kapernaum‹ hielt jedesmal in Treue das Trauerjahr und begann danach seine Freiwerbung. Da er drei nicht mehr sehr junge Kusinen im benachbarten Tornow hatte, sprach er zunächst bei ihnen vor, sie aber lehnten regelmäßig höflich und bestimmt ab.

»Eine halbe Meile nördlich von Trieplatz liegt Tramnitz, ebenfalls ein alt-Rohrsches Gut.« Hier lebte »um 1733, als Kronprinz Friedrich in Ruppin stand, eine hochbetagte Dame, die des Vorrechtes genoß, Allen derb die Wahrheit sagen zu dürfen, am meisten den jungen Offizieren des Regiments Prinz Ferdinand, wenn diese zum Besuche herüberkamen. Einstmals kam auch der Kronprinz mit. Er ward incognito eingeführt und da ihm ›Tante Fiekchens‹ Kaffee, der wenig Aroma aber desto mehr Bodensatz hatte, nicht wohl schmecken wollte, so goß er ihn heimlich aus dem Fenster. Aber Tante Fiekchen wäre nicht sie selber gewesen, wenn sies nicht auf der Stelle hätte merken sollen. Sie schalt denn auch heftig und als sie schließlich hörte, wer eigentlich der Gescholtene sei, wurde sie nur noch empörter und rief: ›Ah, so. Na, denn um so schlimmer. Wer Land und Leute regieren will, darf keinen Kaffee aus dem Fenster gießen. *Sein Herr Vater wird wohl Recht gehabt haben!*‹ Übrigens wurden sie später die besten Freunde, schrieben sich, und wenn der König irgend einen alten Bekannten aus dem Ruppinschen sah, unterließ er nie, sich nach Tante Fiekchen zu erkundigen.«

Als Mathilde von Rohr fast sechzig war, wurde für sie der vorherbestimmte Platz in Kloster Dobbertin frei. Sie zog dorthin, obwohl sie Berlin nur ungern verließ, und Dobbertin wurde in den folgenden Jahrzehnten für manche Tage und manche Wochen ein Refugium für Fontane. »Kein poetischerer Aufenthalt denkbar! Das Zimmer, drin wir das Frühstück und abends den Tee zu nehmen pflegten, hatte noch ganz den Klostercharakter, denn aus seiner Mitte stieg ein schlanker, oben palmenfächriger Pfeiler auf; halb verdeckt davon aber stand ein Schaukelstuhl, von dem aus ich, wenn ich mich im Pfeilerschatten hin und her wiegte, mal links, mal rechts das Kohlenfeuer sah, das in dem altmodischen Kamin still verglühte [...] Um all die Baulichkeiten herum lagen Gärten, auch ein Stück Park, und wenn man diesen mit der Richtung auf die Kirche zu durchschritt, kam man zuletzt an den Dobbertiner See ...«

Dobbertin liegt bereits im Mecklenburgischen und ist heutzutage gut zu erreichen. »Kloster Dobbertin, zwei Meilen von Güstrow, liegt in fruchtbarer Gegend am Dobbertiner See. Das Ganze ein dörfliches, in kleinre Verhältnisse (aber keineswegs in kleine) transponiertes Oxford. Park, Gärten, alte Bäume, geräumige, anheimelnde Wohnungen, alles um die Kirche herum gruppiert. Wohlleben, Abwesenheit der kleinen Tagessorge, *geistige Freiheit*. Zu erstaunen bleibt immer, daß dabei *nicht mehr herauskommt*. In dieser Betrachtung liegt der einzige Trost; man müßte sonst vor Neid verkommen.«

Die Sonne ist im Scheiden,
Das Boot fährt über den See,
Die Erlen und die Weiden
Spiegeln sich im See.

Die Schwäne stillere Kreise
Im weiten Wasser ziehn.
Ich denk' an die goldenen Tage,
An die Tage von Dobbertin.

Fontane war oft in Dobbertin, Mathilde von Rohr erzählte ihm Geschichten und Anekdoten, von denen viele in sein Werk eingegangen sind. Fast siebzigjährig starb sie 1889 und wurde in Dobbertin begraben. »Sie hatte das Pulver nicht erfunden, war aber ein rechter Beweis dafür, daß es darauf auch gar nicht ankommt. Ich war von ihrem guten Herzen, ihrem bon sens, und ihrem Mut, wenn es galt Farbe zu bekennen, überaus eingenommen.«

Als Fontane 1896 siebenundsiebzig Jahre alt war, fühlte er sich für lange Eisenbahnfahrten zu alt und wählte für Emilie und sich »die ›mecklenburgische Schweiz‹ [...], die sich dadurch auszeichnet, daß sie keine Spur von Schweiz enthält, sondern umgekehrt aus lauter Seen besteht. Sie erinnert an Ihren Lake District«, schrieb er damals nach England. Und an der Müritz, dem größten mecklenburgischen See (117 qkm – etwa ein Viertel des Bodensees), an der Nordostspitze, in Waren – etwa 40 km östlich von Dobbertin –, fand er für sich und seine Familie einen idealen Ferienort, den er aufs Wärmste empfahl: »Die Müritz ist nämlich so was wie ein Meer, wie der Viktoria-Njanza oder der Taganjika, und wenn der Michigan sein Chicago hat, so hat die Müritz ihr Waren. [...] Die Luft ist wundervoll, und je nachdem der Wind steht, bin ich auf unserm Balkon von einer feuchten Seebrise oder, von der Waldseite her, von Tannenluft und -duft umfächelt.« – »Es ist sehr schön hier, eine frische Luft, eine behäbige Bevölkerung und eine feudale Verpflegung.«

Nach Fontanes Tod zog seine Tochter Mete, die 1899 den Architekten Karl Otto Fritsch geheiratet hatte, zunächst zeitweise und später ganz nach Waren. Dort starb sie 1917 im siebenundfünfzigsten Jahr.

Havelland

Östlich von Waren, an der Müritz, nur wenige Kilometer entfernt vom letzten Urlaubsort Fontanes, liegt das Gebiet der Havelquellseen, in denen der Hauptfluß der Mark Brandenburg – die Havel – entspringt.

»Die Havel, um es noch einmal zu sagen, ist ein aparter Fluß; man könnte ihn seiner Form nach den norddeutschen oder den Flachlands-Neckar nennen. Er beschreibt einen Halbkreis, kommt von Norden und geht schließlich wieder gen Norden, und wer sich aus Kindertagen jener primitiven Schaukeln entsinnt, die aus einem Strick zwischen Apfelbäumen bestanden, der hat die geschwungene Linie vor sich, in der sich die Havel auf unseren Karten präsentiert. Das Blau ihres Wassers und ihre zahllosen Buchten (sie ist tatsächlich eine Aneinanderreihung von Seen) machen sie in ihrer Art zu einem Unikum. Das Stückchen Erde, das sie umspannt, eben unser Havelland, ist [...] die Stätte ältester Kultur in diesen Landen. Hier entstanden, hart am Ufer des Flusses hin, die alten Bistümer *Brandenburg* und *Havelberg*. Und wie die älteste Kultur hier geboren wurde, so auch die neueste. Von Potsdam aus wurde Preußen aufgebaut, von Sanssouci durchleuchtet.«

Bereits in seinen Reisebriefen aus Schottland, die unter dem Titel *Jenseit des Tweed* 1860 in Berlin erschienen, erzählt Fontane während einer Dampferfahrt auf dem Forth von Edinburgh nach Stirling von der Ähnlichkeit dieser schottischen Gegenden mit dem Havelland. »Jedes Land und jede Provinz hat ihre *Männer*, aber manchem Fleck Erde wollen die Götter besonders wohl, und ihm die Rennbahn näher legend, die Gelegenheit zur Kraftentwicklung ihm beinahe aufzwingend, gönnen sie dem bevorzugten Landesteil eine gesteigerte Bedeutung. Ein solcher Fleck ist das beinah inselförmige Stück Land, um das die Havel ihr blaues Band zieht. [...] Auf dieser Havelinsel und jenem schmalen Streifen Land, der nach außen hin sie umgürtet, liegen die Städte und Schlösser, [...] liegen die Städte, darin drei Reformatoren der Kunst das Licht der Welt erblickten: Winkelmann, Schinkel und Schadow (von denen der zweitgenannte eine Kasernenstadt in eine Stadt der Schönheit umwandelte) ...«

»Und an dieses Teppichs blühendem Saum
All die lachenden Dörfer, ich zähle sie kaum:
Linow, Lindow,
Rhinow, Glindow,
Beetz und Gatow,
Dreetz und Flatow,
Bamme, Damme, Kriele Krielow,
Petzow, Retzow, Ferch am Schwilow,
Zachow, Wachow und Groß-Bähnitz,
Marquardt-Uetz an Wublitz-Schlänitz,
Senzke, Lenzke und Marzahne,
Lietzow, Tietzow und Rekahne,
Und zum Schluß in dem leuchtenden Kranz:
Ketzin, Ketzür und Vehlefanz.
[...]
Und Gruß *Dir*, wo die Wiege *stand*,
Geliebte Heimat, Havelland!

In den Jahren nach seiner endgültigen Rückkehr aus England – 1859 bis 1861 – machte Fontane mit Freunden und Bekannten zahlreiche Fahrten in die Mark, vor allem ins Ruppinsche und in das Havelland. »Vorgestern Abend (Mittwoch) sind wir gegen Mitternacht wohlbehalten hier eingetroffen«, schrieb er Ende Mai 1861 seiner Frau aus Neuruppin, »nachdem wir am Dienstag Abend und Mittwoch früh Oranienburg inspiziert und dann von Mittwoch an unsere Reise über Cremmen, Linum, Fehrbellin bis hierher fortgesetzt hatten. Die Ausbeute in Oranienburg war ziemlich bedeutend ...«

Schloß Oranienburg

Nördlich von Berlin liegt Oranienburg. »Schlicht, schmal, ein Wässerchen nur, tritt sie [die Havel] aus dem Mecklenburgischen in die Mark, um dann, auf ihrem ganzen Oberlaufe, ein Flüßchen zu bleiben [...] So gibt sich die Havel bei *Oranienburg* ...« In Front des Oranienburger Schlosses machten Fontane und die ihn begleitenden Freunde in einem Gasthof halt. »Da sitzen wir denn auf der Treppe des Hauses, die sich nach rechts und links hin zu einer Art Veranda erweitert und freuen uns der Stille und der balsamischen Luft, die uns umgeben. [...] Zu unserer Linken, ziemlich in der Mitte des Platzes, ragt die Statue der hohen Frau auf, die dieser Stadt den Namen und, über einen allerengsten Kreis hinaus, ein Ansehen in der Geschichte unseres Landes gab.«

»Noch ragt der Bau, doch auf den breiten Treppen
Kein Leben mehr, kein Rauschen seidener Schleppen,
Die alten Mauern stehen öd' und leer,
's sind noch die alten und – sie sind's nicht mehr.«

Die ›hohe Frau‹ der Statue, das war die Gemahlin des Großen Kurfürsten, Luise Henriette von Oranien (1627-1667), die Mutter des nachmaligen Kurfürsten Friedrich III., der sich 1701 in Königsberg zum König *in* Preußen krönte. Ihr schenkte der Kurfürst das Amt Bötzow mit Dörfern, Triften und Weiden. Und an die Stelle eines dort stehenden einfachen Jagdhauses trat ein bescheidenes Schloß, das bald ›die Oranienburg‹ genannt wurde. »In kürzester Frist tat auch die zu Füßen des Schlosses gelegene *Stadt* ihren alten Namen *Bötzow* bei Seit' und nahm den Namen *Oranienburg* an. [...] Kolonisten wurden ins Land gezogen, Häuser gebaut, Vorwerke angelegt und alle zur Landwirtschaft gehörigen Einzelheiten alsbald mit Emsigkeit betrieben. Eine Meierei entstand und Gärten und Anlagen faßten alsbald das Schloß ein. [...] Sie war eine sehr fromme Frau (ihr Leben und ihre Lieder zeugen in gleicher Weise dafür), aber ihre Frömmigkeit war nicht von der blos beschaulichen Art und neben dem ›bete‹ stand ihr das ›arbeite‹.«

1667 starb Luise Henriette, ihr Schloß und die damalige Kirche sind nicht mehr vorhanden. Allein ihr Denkmal von dem märkischen Bildhauer Wilhelm Wolff (1816-1887), das die Stadt ihr im 19. Jahrhundert widmete, kündet von ihrem Wirken. »Wolff, ein geborner Fehrbelliner und halb Nachbarskind von Oranienburg, unterzog sich der ihm gewordenen Aufgabe mit Liebe und Geschick, und seit dem Herbste 1858 erhebt sich auf dem Schloßplatz zu Oranienburg das überlebensgroße Erzbildnis der frommen Frau, die beide, Schloß wie Stadt, mit ihrem Namen und ihrer eignen Geschichte auf immer verwob.«

»Schloß Oranienburg war [...] ein Bau von mäßigen Dimensionen (nur fünf Fenster breit), als 1688, nach dem Tode des großen Kurfürsten, der prachtliebende Friedrich III. zur

Regierung kam. [...] Schloß Oranienburg wuchs alsbald aus seiner engen Umgrenzung heraus und ein Prachtbau stieg empor, wie die Marken damals, mit alleiniger Ausnahme des Schlosses zu Cölln an der Spree, keinen zweiten aufzuweisen hatten. Von 1688 bis 1704 dauerte der Bau, und das Schloß nahm im Wesentlichen die Gestalt und Dimensionen an, worin wir es noch jetzt erblicken.« An der Front ließ der Kurfürst eine Inschrift anbringen, die sagte, daß er den Ausbau »dem Gedächtnis der frömmsten Mutter« widmete. Damit wollte er seine Stellung als Erstgeborener der ersten Gemahlin seines Vaters festigen, der in zweiter Ehe eine Dorothea von Lüneburg geheiratet hatte, die ihm sieben Kinder gebar und zumindest für ihre Söhne Ansprüche stellen würde.

Nach dem Tode Königs Friedrich I. – 1713 – kam unter der Regierung seines Sohnes, Friedrich Wilhelm I., eine schwere Zeit für Oranienburg. »Dem Soldatenkönige, dessen Sinn auf andere Dinge gerichtet war als auf Springbrunnen und künstliche Grotten, genügte es nicht, die Schöpfung seines Vaters sich selbst zu überlassen, er griff auch festen und praktischen Sinnes ein, um die in seinen Augen halb nutzlose, halb kostspielige Hinterlassenschaft nach Möglichkeit zu verwerten. Bauten wurden abgebrochen und die Materialien verkauft; die Fasanerie, das Einzige, woran er als Jäger ein Interesse hatte, kam nach Potsdam; die 1029 Stück eiserne Röhren aber, die der Wasserkunst im Schlosse das Wasser zugeführt hatten, wurden auf neun Oderkähnen nach Stettin geschafft.

Schloß und Park verwilderten. Wie das Schloß im Märchen, eingesponnen in undurchdringliches Grün, lag Oranienburg da, als 31 Jahre nach dem Tode des ersten Königs sein Name wieder genannt wurde. Im Jahre 1744 war es , wo Friedrich II. in Betreff seiner Brüder allerhand Ernennungen und Entscheidungen traf. Prinz Heinrich erhielt Rheinsberg,

Prinz Ferdinand das Palais und den Garten in Neuruppin, der älteste Bruder August Wilhelm aber, unter gleichzeitiger Erhebung zum Prinzen von Preußen, wurde mit Schloß Oranienburg belehnt.«

»Prinz August Wilhelm lebte nur zeitweilig in Oranienburg; sein Regiment stand zu Spandau in Garnison und die Pflichten des Dienstes fesselten ihn an den Standort desselben. Aber die Sommermonate führten ihn oft und so lange wie möglich nach dem benachbarten, durch Stille und Schönheit einladenden Oranienburg ...«

1758 starb der Prinz, und ein halbes Jahrhundert danach, zu Beginn des 19. Jahrhunderts, wurde das Schloß verkauft und danach verschiedentlich gewerblich genutzt.

Fontane stand mit seinen Freunden wieder vor dem Schloß. »Der Ball der untergehenden Sonne hängt am Horizont, leise Schleier liegen über dem Park, und die Abendkühle weht vom Fluß und Wiesen her zu uns herüber. Wir sitzen wieder auf der Treppe des Gasthofs und blicken durch die Umrahmung der Bäume in das Bild abendlichen Friedens hinein. [...] wir lesen jetzt erst den Theaterzettel, der, in gleicher Höhe mit uns, an einen der Baumstämme geklebt ist. ›Das Testament des großen Churfürsten, Schauspiel in 5 Aufzügen‹. Wir lieben das Stück, aber wir kennen es, und während die Sonne hinter Schloß und Park versinkt, ziehen wir es vor, in Bilder und Träume gewiegt, auf ›*Schloß Oranienburg*‹ zu blicken, eine jener *wirklichen* Schaubühnen, auf der die Gestalten jenes Stücks mit ihrem Haß und ihrer Liebe heimisch waren.« Das Schauspiel von Gustav Heinrich Gans zu Putlitz schildert die Streitigkeiten über das Testament des Großen Kurfürsten.

Später wurde das Schloß Heimstätte eines pädagogischen Seminars und schließlich Kaserne. Nach 1945 behob man die schlimmsten Kriegsschäden.

Den Bericht über Oranienburg sah Fontane als Muster an, das er seinem Verleger Hertz so beschrieb: »Ich hatte einfach vor, *ohne jegliche Prätension von Forschung, Gelehrsamkeit, historischem Apparat* etc. meinen Landsleuten zu zeigen, daß es in Mark Brandenburg auch historische Städte, alte Schlösser, schöne Seen, landschaftliche Eigentümlichkeiten und Schritt für Schritt tüchtige Kerle gäbe. So entstand das Buch ›*wandernd, plaudernd, reise-novellistisch*‹ ...«

Tegel

»Havelabwärts von Oranienburg, schon in der Nähe Spandaus, liegt das Dorf *Tegel*, gleich bevorzugt durch seine reizende Lage, wie durch seine historischen Erinnerungen. Jeder kennt es als das Besitztum der Familie *Humboldt*.« Im Frühjahr 1860 wanderte Fontane »durch die sogenannte *Oranienburger* Vorstadt, die sich, weite Strecken Landes bedekkend, aus Bahnhöfen und Kasernen, aus Kirchhöfen und Eisengießereien zusammensetzt. Diese vier heterogenen Elemente drücken dem ganzen Stadtteil ihren Stempel auf; das Privathaus ist eigentlich nur in so weit gelitten, als es jenen vier Machthabern dient.« Aus Jugendtagen – vor einem Vierteljahrhundert –, als er bei ›Onkel August‹ wohnte, war ihm der Weg in guter Erinnerung. Damals schwänzte er viele Vormittagsstunden der Schule, »und wenn ich es an dem einen Tage mit den Rehbergen oder mit dem Schlachtensee versucht hatte, so war ich Tags darauf in Tegel und lugte nach dem Humboldtschen ›Schlößchen‹ hinüber, von dem ich wußte, daß es allerhand Schönes und Vornehmes beherbergte«.

Von der Oranienburger Vorstadt wanderte er in den ›Wed-

ding‹: »Überall ein Geist mäßiger Ordnung, mäßiger Sauberkeit, überall das Bestreben, sich nach der Decke zu strecken und durch Fleiß und Sparsamkeit sich weiter zu bringen, aber nirgends das Bedürfnis, das Schöne, das erhebt und erfreut, in etwas anderem zu suchen, als in der Neuheit des Anstrichs, oder in der Gradlinigkeit eines Zauns.« Damals lag zwischen der Stadt und dem Tegeler Gebiet noch eine weitläufige Tannenheide; gleich danach stand man vor dem Schloß:

»Schloß Tegel, ursprünglich ein Jagdschloß des großen Kurfürsten, kam, wenige Jahre nach dem Hubertusburger Frieden, in Besitz der Familie Humboldt. [...] 1767 wurde *Wilhelm*, 1769 *Alexander* von Humboldt geboren. [...] Nach dem Tode der Eltern wurde Schloß und Rittergut Tegel gemeinschaftliches Eigentum der beiden Brüder und blieb es, bis es im Jahr 1802 in den alleinigen Besitz Wilhelms von Humboldt, der damals Gesandter in Rom war, überging. Alexander von Humboldt hat sich immer nur besuchsweise in Schloß Tegel aufgehalten, und die historische Bedeutung des Orts wurzelt überwiegend in der vieljährigen Anwesenheit *Wilhelms* von Humboldt daselbst, der die letzten fünfzehn Jahre seines Lebens (von 1820 bis 1835), zurückgezogen von Hof und Politik, aber in immer wachsender Vertrautheit mit der Muse und den Wissenschaften, auf dieser seiner Besitzung zubrachte.«

1822 wurde unter Schinkel ein Neubau des Schlosses begonnen, der Teile des früheren Gebäudes mit einbezog. »An den vier Ecken des alten Hauses erheben sich jetzt vier Türme von mäßiger Höhe, die derart eingefügt und untereinander verbunden sind, daß sie im Innern nach allen Seiten die Zimmerreihen erweitern, während sie nach außen hin dem Ganzen zu einer Stattlichkeit verhelfen, die es bis dahin nicht besaß.« Fontane zählte die Kunstgegenstände des Hauses auf:

Bilder, Antiken und Bücher; wie das Schloß und auch ein Teil seiner Inneneinrichtung, nach Schinkelschen Vorgaben, sind sie erhalten geblieben.

»Wir verlassen nun das Haus und seine bildgeschmückten Zimmerreihen, um der vielleicht eigentümlichsten und fesselndsten Stätte dieser an Besonderem und Abweichendem so reichen Besitzung zuzuschreiten – der *Begräbnisstätte*. Der Geschmack der Humboldtschen Familie, vielleicht auch ein Höheres noch als das, hat es verschmäht, in langen Reihen eichener Särge den Tod gleichsam überdauern und die Asche der Erde vorenthalten zu wollen. Des Fortlebens im Geiste sicher, durfte ihr Wahlspruch sein ›Erde zu Erde‹. Kein Mausoleum, keine Kirchenkrypta nimmt hier die irdischen Überreste auf; ein Hain von Edeltannen friedigt die Begräbnisstätte ein und in märkisch-tegelschem Sande ruhen die Mitglieder einer Familie, die, wie kaum eine zweite, diesen Sand zu Ruhm und Ansehen gebracht. [...] Wenn ich den Eindruck bezeichnen soll, mit dem ich von dieser Begräbnisstätte schied, so war es der, einer entschiedenen *Vornehmheit* begegnet zu sein. Ein Lächeln spricht aus allem und das resignierte Bekenntnis: wir wissen nicht, was kommen wird, und müssens – erwarten. Deutungsreich blickt die Gestalt der Hoffnung auf die Gräber hernieder. Im Herzen dessen, der diesen Friedhof schuf, war eine *unbestimmte Hoffnung* lebendig, *aber kein bestimmter siegesgewisser Glaube*. Ein Geist der Liebe und Humanität schwebt über dem Ganzen, aber nirgends eine Hindeutung auf das Kreuz, nirgends der Ausdruck eines unerschütterlichen Vertrauens. Das sollen nicht Splitterrichterworte sein, am wenigstens Worte der Anklage; sie würden *dem* nicht ziemen, der selbst lebendiger ist in der Hoffnung als im Glauben. Aber ich durfte den *einen* Punkt nicht unberührt und ungenannt lassen, der, unter allen märkischen Edelsitzen, *dieses* Schloß und *diesen* Friedhof zu einem Unicum macht. Die märkischen Schlösser, wenn nicht ausschließlich *feste Burgen* altlutherischer Konfession, haben abwechselnd den Glauben und den Unglauben in ihren Mauern gesehen; straffe Kirchlichkeit und laxe Freigeisterei haben sich innerhalb derselben abgelöst. Nur Schloß Tegel hat ein *drittes* Element in seinen Mauern beherbergt, *jenen Geist*, der, gleich weit entfernt von Orthodoxie wie von Frivolität, sich inmitten der klassischen Antike langsam, aber sicher auszubilden pflegt, und lächelnd über die Kämpfe und Befehdungen beider Extreme, das Diesseits genießt und auf das rätselvolle Jenseits *hofft*.«

Potsdam

In einem Buch über das Havelland durfte Potsdam nicht fehlen, und schon während der Vorarbeiten am *Havelland* stellte Fontane verschiedene Gliederungen auf, in denen Potsdam einen wichtigen Raum einnahm. Davon sind nur wenige Zeilen eines Entwurfs für den Beginn erhalten geblieben, die in ihrer Art nicht nur für Potsdam Gültigkeit haben, sondern die Gestaltung der *Wanderungen* überhaupt beschreiben.

»Berlin ist eine große Stadt, auch voll eigentümlicher Züge, der preußische Geist ist darin zu Haus, aber nicht die preußischen Institutionen, die erst jenen preußischen Geist (der anfangs etwas blos persönliches war) erzeugten. Potsdam, mehr als irgend ein andrer Punkt, ist die Geburtsstätte des preußischen Staats und unterscheidet sich schon dadurch erheblich von Berlin.

[Potsdam] ... von welcher Seite her man auch vorgehen

mag, landschaftlich, architektonisch, historisch – es bietet dem Auge nichts Neues mehr. Nichts Neues mehr und doch immer der alte Zauber und in derselben Weise wie der junge Künstler wenn er hinaustritt in die Campagna und am östlichen Horizont die fernen Linien des Albaner-Gebirges sich hinziehen sieht alle Vorsätze vergißt und das 1000mal in Strichen festgehaltene doch zum 1001. Mal in sein Skizzenbuch zeichnet zu seiner und andrer Freude, so versuch auch ich das 100mal Beschriebene aufs Neue zu beschreiben, in der stillen Hoffnung: *so* war es noch nie. Der Maler, aller Vorsätze unerachtet, zieht jene blaue Linien in der stillen Hoffnung: *so* sah es noch keiner, *so* zog noch nie dieser blaue Dämmer herauf und die eitle Hoffnung beschleicht auch mich: diese Dinge vielleicht anders gesehn zu haben als andre. Denn auch *diese* Dinge haben eine wechselnde Beleuchtung, jedes Vierteljahrhundert sieht sie in einer neuen. Aber nicht alles präsentiert sich in neuem Lichte, es gibt Dinge, die jedem Auge so ziemlich gleich erscheinen, diese lassen wir außer Spiel und beschränken uns auf markante Punkte.«

Eine letzte überarbeitete Liste teilte das Kapitel Potsdam in mehrere Abschnitte : »*Das Tabaks-Kollegium – Ein Zimmer im Stadtschloß (Fr. W. I) – Sanssouci – Lord Marechals Haus – Die Garnisonkirche und Gruft – Das Marmor-Palais – Die Pfauen-Insel / Die Havelschwäne – Charlottenhof – Die Friedenskirche.*«

Es gibt noch Notizen über das Stadtschloß, Sanssouci und die Garnisonkirche. Aber letztlich wurden in den im Oktober 1872 erschienenen Band über das ›Ost-Havelland‹ nur *Die Pfauen-Insel* und *Die Havelschwäne* übernommen. Potsdam mit seinen verschiedenen Abschnitten sollte später in einem geplanten Band *West-Havelland* aufgenommen werden, der dann aber nicht erschien, weil sich Fontane mit seinem Verleger über eine endgültige Gliederung der *Wanderungen* von nur vier Bänden geeinigt hatte.

Fontane kannte Potsdam gut, Freunde und Bekannte wohnten dort, und von Zeit zu Zeit kam er in diese Stadt mit ihrer besonderen Atmosphäre. Als er im Frühjahr 1871 durch Nordfrankreich reiste, schrieb er über diese ›Osterreise‹ zwei Bände mit dem Titel *Aus den Tagen der Occupation*, in deren letztem Kapitel er das Schicksal des gefangenen französischen Kaisers Louis Napoleon in der Wilhelmshöhe bei Kassel schildert. In den ersten Zeilen dieses Kapitels berichtet er von seiner Ankunft in Kassel und fühlt sich dabei an Potsdam erinnert. »*Kassel gehört unter die Potsdamme der Weltgeschichte*. Das Wesen der Potsdamme – wobei ich Potsdam als alten überkommenen Begriff, nicht als etwas tatsächlich noch Vorhandenes fasse – das Wesen dieser Potsdamme, sag' ich, besteht in einer unheilvollen Verquickung oder auch Nicht-Verquickung von Absolutismus, Militarismus und Spießbürgertum. Ein Zug von Unfreiheit, von Gemachtem und Geschraubtem, namentlich auch von künstlich *Hinaufgeschraubtem*, geht durch das Ganze und bedrückt jede Seele, die mehr Bedürfnis hat, frei aufzuatmen, als Front zu machen. Front zu machen. Ja, dies ist das Eigentlichste! Ein gewisses Drängen [...] herrscht in diesen Städten vor, in die erste Reihe zu kommen, gesehen, vielleicht gegrüßt zu werden. [...] Man hat von den Berlinern gesagt, sie hätten ›einen kleinen ›alten Fritz‹ im Leibe‹ (beiläufig das Schmeichelhafteste, was je über sie gesagt worden ist); so kann man von vielen Klein-Residenzlern sagen: sie tragen den Hofmarschall v. Kalb irgendwie oder irgendwo mit sich herum.«

Zehn Jahre später erzählte er Mathilde von Rohr von einem Besuch in Potsdam und »den sehr gemütlichen Abendspaziergängen in Marly-Garten und Sanssouci«, Worte, die schon an das große Gedicht zu Menzels 70. Geburtstag erinnern:

»Von Marly kommend und der Friedenskirche,
Hin am Bassin (es plätscherte kein Springstrahl)
Stieg ich treppan; die Sterne blinkten, blitzten,
Und auf den Stufen-Aufbau der Terrasse
Warf Baum und Strauchwerk seine dünnen Schatten ...«

Ende der achtziger Jahre schrieb er über Berlin und Potsdam: »aber alles, was die Hohenzollern geschaffen [...] ist hoch interessant: das Berliner Schloß, alt und neu, das Potsdamer Sanssouci, das Mamorpalais, das Neue Palais, das Charlottenburger Schloß – welche Welt! welche Gestalten, welche Erinnerungen.«

Die Pfaueninsel

Nördlich von Potsdam und südlich der großen Havelausbuchtung des Wannsees liegt die eineinhalb Kilometer lange und teilweise fünfhundert Meter breite Pfaueninsel.

»Pfaueninsel! Wie ein Märchen steigt ein Bild aus meinen Kindertagen vor mir auf: ein Schloß, Palmen und Känguruhs; Papageien kreischen; Pfauen sitzen auf hoher Stange oder schlagen Rad; Volièren, Springbrunnen überschattete Wiesen; Schlängelpfade, die überall hin führen und nirgends; ein rätselvolles Eiland, eine Oase, ein Blumenteppich inmitten der Mark. Aber so war es nicht immer hier.«

Aus seinen Jugendtagen kannte Fontane die Insel und hat sie später oft besucht. Einst namenlose Wildnis, hieß sie zur Zeit des Großen Kurfürsten ›Kaninchenwerder‹, dann, weil der Hof hier Pfauen hielt, schließlich ›Pfaueninsel‹. Der Alchimist Johann Kunkel, der das Rubinglas erfand, erhielt die

Insel vom Kurfürsten als Wohn- und Arbeitsstätte. Es wurde viel experimentiert: »Daß es sich um Goldmachekunst und um Entdeckung des Steins der Weisen gehandelt habe, ist sehr unwahrscheinlich.« Und wenn auch die anderen Versuche keinen Erfolg hatten, der Kurfürst hielt den Alchimisten weiter. »Friedrich Wilhelm rechnete, wie Kunkel ihn selbst sagen läßt, die daran gewendeten Summen zu solchen, die er verspielt oder im Feuerwerk verpufft habe. Da er jetzt weniger spiele, so dürfe er das dadurch Gesparte an Forschungen in der Wissenschaft setzen.«

»Mehr als ein Jahrhundert verging, bevor die Zauberer-Insel zu einer Zauber-Insel wurde. Die Anfänge dazu (zur Zauber-Insel) fallen bereits in die Regierungszeit Friedrich Wilhelms II.« Der König entdeckte die Insel bei seinen Jagdausflügen. »Solche Lust gewährten dem Könige diese Fahrten nach der stillen, nahe gelegenen Waldinsel, daß er sich im Jahre 1793 entschloß, dieselbe [...] zu kaufen. Dies geschah und schon vor Ablauf von drei Jahren war das Eiland zu einem gefälligen Park umgeschaffen, mit Gartenhaus und Meierei, mit Jagdschirm und Federviehhaus und einem Lustschloß an der Nordwestspitze.«

Noch während des Schloßbaus starb der König, doch Friedrich Wilhelm III., »in allem gegensätzlich gegen seinen Vorgänger und diesen Gegensatz *betonend*, machte doch mit Rücksicht auf die Pfaueninsel eine Ausnahme und wandte ihr von Anfang an eine Gunst zu, die, bis zur Katastrophe von 1806, alles daselbst Vorhandene liebevoll pflegte, nach dem Niedergange der napoleonischen Herrschaft aber diesen Fleck Erde zu einem ganz besonders bevorzugten machte.«

Ein Rosengarten wurde angelegt, ein Wasserwerk errichtet, mit dem große Teile der Insel bewässert werden konnten, schließlich wurde eine Menagerie mit exotischen Tieren erworben. 1830 wurde das Palmenhaus errichtet. Die Menagerie wurde später in den Zoologischen Garten Berlins überführt, und das große Palmenhaus brannte ab, von dem man sich aber heute noch ein Bild in dem Gemälde von Carl Blechen machen kann, das dieser 1832 malte und das jetzt in der Kunsthalle in Hamburg hängt.

Nach 1840 wurde wurde es ruhig um die Pfaueninsel, doch sie blieb ein beliebtes Ausflugsziel, denn »der *eigentlichste* Zauber dieses glücklichen Fleckchens Erde liegt doch *draußen*, auf dem schmalen Gartenstreifen zwischen Haus und Fluß. [...] Hier sitzt man, während der Wind über die Levkojenbeete fährt, und genießt die Stunde des Sonnenunterganges, dessen reflektiertes Licht eben jetzt die Spitzen der gegenübergelegenen Kiefern rötet. [...] Der Abend kommt, die Nebel steigen, die Kühle mahnt zur Rückfahrt und unser Boot schiebt sich durch das Rohr hin und in die freie Wasserfläche hinaus. Hinter uns, die verschleierte Mondsichel über den Bäumen, versinkt das Eiland. Mehr eine Feen- als eine Pfauen-Insel jetzt!«

Bornstedt

Bornstedt und seine Feldmark bilden die Rückwand von Sanssouci. Beiden gemeinsam ist der Höhenzug, der zugleich sie trennt: [...] Am Südabhange dieses Höhenzuges entstanden die Terrassen von Sanssouci; am Nordhange liegt Bornstedt. Die neuen Orangeriehäuser, die auf dem Kamme des Hügels in langer Linie sich ausdehnen, gestatten einen Überblick über beide, hier über die Baum- und Villenpracht der königlichen Gärten, dort über die rohrgedeckten Hütten des

FRIEDRICH LUDWIG PERSIUS
Architect des Königs
geboren den 15ten Febr: 1803
gestorben den 12ten July 1845
CHARLOTTE TUSNELDE PAULINE
PERSIUS geb. SELLO
geboren den 2ten Mai 1808
gestorben den 11ten April 1883

märkischen Dorfes; links steigt der Springbrunnen und glitzert siebenfarbig in der Sonne, rechts liegt ein See im Schilfgürtel und spiegelt das darüber hinziehende weiße Gewölk. Dieser Gegensatz von Kunst und Natur unterstützt beide in ihrer Wirkung. Wer hätte nicht an sich selbst erfahren, wie frei man aufatmet, wenn man aus der kunstgezogenen Linie auch des frischesten und natürlichsten Parkes endlich über Graben und Birkenbrücke hinweg in die weitgespannte Wiesenlandschaft eintritt, die ihn umschließt!«

Die basilikale Kirche entstand nach Plänen von Stüler, »aber was doch weit über die Kirche hinausgeht, das ist ihr *Kirchhof*, dem sich an Zahl berühmter Gräber vielleicht kein anderer Dorfkirchhof vergleichen kann. [...] Es hat dies einfach seinen Grund in der unmittelbaren Nähe von Sanssouci und sein Dependenzien. Alle diese Schlösser und Villen sind hier eingepfarrt, und was in Sanssouci stirbt, das wird in Bornstedt begraben, [...] So finden wir denn auf dem bornstedter Kirchhofe Generale und Offiziere, Kammerherren und Kammerdiener, Geheime-Räte und Geheime-Kämmeriere, Hofärzte und Hofbaumeister, vor Allem – Hofgärtner in Bataillonen.«

Hier ruht die Dynastie der Hofgärtnerfamilie Sello und neben ihnen der große Gartenarchitekt Peter Joseph Lenné (1789-1866), der Architekt und Oberbaurat Ludwig Persius (1803-1845), der die Friedenskirche und Schloß Charlottenhof baute, und hier findet sich »das Grabdenkmal des bekannten Freiherrn Paul Jakob *v. Gundling*, der Witz und Wüstheit, Wein- und Wissensdurst, niedere Gesinnung und stupende Gelehrsamkeit in sich vereinigte, und der, in seiner Doppeleigenschaft als Trinker und Hofnarr, in einem *Weinfaß* begraben wurde«.

Marquardt

Eine Meile hinter Bornstedt liegt *Marquardt*, ein altwendisches Dorf, eben so anziehend durch seine Lage, wie seine Geschichte. Wir passieren Bornim, durchschneiden den ›Königsdamm‹ und münden unmerklich aus der Chaussee in die Dorfstraße ein, zu deren Linken ein prächtiger Park bis an die Wublitz und die breiten Flächen des Schlänitz-Sees sich ausdehnt.« In früheren Zeiten trug Marquardt den Namen Schorin.

»Im 15. Jahrhundert, und weiter zurück, war es im Besitz zweier Familien; die eine davon nannte sich nach dem Dorfe selbst [...] die anderen waren die *Bammes*. Der Besitz wechselte oft; die Brösickes, Hellenbrechts und Wartenbergs lösten einander ab, bis 1704 der Etatminister und Schloßhauptmann *Marquardt* Ludwig von Printzen das reizende Schorin vom König zum Geschenk, und über das Geschenk selber, dem Minister zu Ehren, den Namen *Marquardt* erhielt.«

Und wieder wechselten die Besitzverhältnisse. Nach dem Baseler Frieden, 1795, kaufte es General von Bischofswerder (*1740), der zunächst in sächsischen Diensten stand, später an den preußischen Hof kam und ein besonderes Vertrauensverhältnis zu König Friedrich Wilhelm II. erlangte. Nach dessen Tod zog sich Bischofswerder auf sein Besitztum Marquardt zurück. »Sein Dorf, sein Haus, sein Park füllten von nun an seine Seele. Mit seinen Bauern stand er gut; die Auseinanderlegung der Äcker, die sogenannte ›Separation‹, die gesetzlich erst zehn Jahre später ins Leben trat, führte er durch freie Vereinbarung aus; er erweiterte und schmückte das Schloß, den Park; dem letztern gab er durch Ankauf von Bauernhöfen, deren Brunnenstellen sich noch heut erkennen lassen, wie durch Anpflanzung wertvoller Bäume, seine gegenwärtige Gestalt.« 1803 starb von Bischofswerder, sein Sohn war zu dieser Zeit erst acht Jahre alt und seine Mutter verwaltete Marquardt. Bis 1858 blieb Marquardt im Besitz der Familie der Bischofswerder. Erneut wechselten die Besitzer, und langsam zog wieder Ordnung ein, Park und Schloß wurden instandgesetzt. »1791 legte ein rasch um sich greifendes Feuer das halbe Dorf in Asche; auch das ›Schloß‹ brannte aus; nur die Umfassungsmauern blieben stehn. Das Herrenhaus, wie es sich jetzt präsentiert, ist also 80 Jahre alt. Es macht indessen einen viel älteren Eindruck, zum Teil wohl weil ganze Wandflächen mit Epheu überwachsen sind. Aber das ist es nicht allein. Auch da, wo der moderne Mörtel unverkennbar sichtbar wird, ist es, als blickten die alten Mauern, die 1791 ihre Feuerprobe bestanden, durch das neue Kleid hindurch.«

In den beiden ersten Jahrzehnten des zwanzigsten Jahrhunderts wurde Schloß Marquardt von jemandem erworben, der sicher Fontanes höchstes Interesse gefunden hätte. Es war Louis Ferdinand Ravené (1866-1944), der Sohn des Geh. Commerzienrath Jacob Ravené und seiner Frau Therese, geb. von Kusserow, beide Vorbilder für Kommerzienrat van der Straaten und seine Frau Melanie in *L'Adultera*. Die Trennung des bekannten Ehepaares Ravené hatte damals in Berlin großes Aufsehen erregt. »Ich habe das Ravenésche Haus nie betreten«, äußerte sich Fontane Jahre später einmal, »habe die schöne junge Frau nur einmal in einer Theaterloge, den Mann nur einmal in einer Londoner Gesellschaft und den Liebhaber [...] überhaupt nie gesehn. Ich denke, in solchem Falle hat ein Schriftsteller das Recht, ein Lied zu singen, das die Spatzen auf dem Dache zwitschern. Verwunderlich war nur, daß auch in Bezug auf die Nebenpersonen, alles, in geradezu lächerlicher Weise, *genau* zutraf. Aber das erklärt sich

wohl so, daß vieles in unsrem gesellschaftlichen Leben so typisch ist, daß man, bei Kenntniß des Allgemeinzustandes, auch das Einzelne mit Nothwendigkeit treffen muß.« Thereses ältester Sohn, erfolgreicher Kaufmann und schwedischer Generalkonsul, Louis Ferdinand Ravené, hatte vor dem Ersten Weltkrieg Marquardt erworben. In der Dorfkirche befinden sich noch heute Gruft und Grabmal der Familie Ravené. Ende der zwanziger Jahre übernahm Kempinski Schloß und Park und schuf eine luxuriöse Hotelanlage mit Golfplatz, die aber in den dreißiger Jahren wieder den Besitzer wechseln mußte. Heute soll das Schloß, das Lazarett, Seminar und Institut war, erneut als Hotel genutzt werden.

Eines Abends verließ Fontane Marquardt. »Die Sonne geht nieder; zwischen den Platanen des Parks schimmert es wie Gold; das ist die beste Zeit zum ›Schlänitz‹ hin. [...] Nun stehen wir am Schlänitz-See, über die Kirche von Phöben hängt der Sonnenball; ein roter Streifen schießt über die leis gekräuselte Fläche. Der Abendwind wird wach; ein leises Frösteln überläuft uns.« Fontane liebte diese Stimmung, noch in seinem vorletzten Jahr dankte er der Zeitschrift ›Über Land und Meer‹ für ihre Zustimmung zum Manuskript des *Stechlin*: »Ihr Telegramm hat mich sehr beglückt. ›Verweile doch, du bist so schön‹ – ich darf es sagen, denn ich sehe in den Sonnenuntergang.«

Auch ›Marquardt‹ war für Fontane ein Musterkapitel, und als er seinem Verleger Hertz einen großen Teil des Manuskriptes zusandte, schrieb er ihm dazu: »Ich würde Ihnen vorschlagen nur das lange Kapitel ›*Marquardt*‹ zu lesen, da haben Sie alle Züge des Buches vereinigt: Schloß-, Park- und Landschaftsbeschreibung, Historisches, Anekdotisches, Familienkram und Spukgeschichte. Mehr kann man am Ende nicht verlangen.«

Paretz

Von der Ausfahrt ›Potsdam-Nord‹ der Autobahn erreicht man in kurzer Fahrt Paretz.

»Der Weg [nach Paretz] führt durch Wiesen rechts und links; der Heuduft dringt von den Feldern herüber und vor uns ein dünner, sonnendurchleuchteter Nebel zeigt die Stelle, wo die breite, buchten- und seenreiche Havel fließt. Paretz selbst verbirgt sich bis zuletzt [...] Paretz ist alt-wendisch. Die Nachrichten sind sehr lückenhaft. Es gehörte ursprünglich zur Kirche von Ketzin, kam dann in den Besitz der Arnims und Dirikes, welch' letztere es 1658 an die Familie Blumenthal veräußerten.« Sie verkauften es 1795 an den damaligen Kronprinzen, den nachmaligen König Friedrich Wilhelm III. Er ließ nach den Plänen von David Gilly (1748-1808) ein Haus im ›ländlichen Stile‹ erbauen. »›Nur immer denken, daß Sie für einen armen Gutsherrn bauen‹, sagte der Kronprinz, dem im Übrigen die Vollendung des Baues sehr am Herzen lag. Alles wurde denn auch dergestalt beschleunigt, daß der neue Gutsherr mit seiner Gemahlin schon im Jahre 1796 einige Tage in Paretz zubringen konnte. [...] 1797 erfolgte die Renovierung der Kirche, drei Jahre später der Neubau des Dorfes, wobei zugleich festgesetzt wurde, daß die im Giebel jedes Hauses befindliche Stube jederzeit für die königliche Dienerschaft [...] reserviert bleiben müsse. Seit 1797 war der Kronprinz König.« Noch heute bieten einige Häuser – so die ehemalige Schmiede – das Bild des damals im gotisierenden Stil erbauten Dorfes.

Friedrich Wilhelm III. und seine Gemahlin Luise lebten gern und oft in Paretz, bis im Mai 1810 der Tod der Königin diese Zeit beendete. Hierhin fuhr in *Schach von Wuthenow*

Frau von Carayon zur Privataudienz beim König. »Eine Viertelmeile hinter Marquardt hatte man die Wublitz, einen von Mummeln überblühten Havelarm, zu passieren, dann folgten Äcker und Wiesengründe, die hoch in Gras und Blumen standen, und ehe noch die Mittagsstunde heran war, war ein ein Brückensteg und alsbald auch ein offenstehendes Gittertor erreicht, das den Paretzer Parkeingang bildete.«

Nach 1815 besuchte der König bisweilen Paretz. »Nicht mehr Tage ungetrübten Glücks; sie, die diese Tage verklärt, diese Tage erst zu Tagen des Glücks gemacht hatte, sie war nicht mehr; aber Tage der Erinnerung. Die Zeit heilt Alles; nur ein leises Weh bleibt, das in sich selber ein Glück ist; ein klarer Spätsommertag, mit einem durchleuchteten Gewölk am Himmel, so erschien jetzt Paretz.« 1840 starb der König. Das Schloß, das »ländliche Idyll«, blieb in seiner Bausubstanz erhalten, wurde aber nach 1945 durch Umbauten so entstellend verändert, daß es seine frühere Ausstrahlung völlig verlor. Es soll jedoch vollständig rekonstruiert werden.

»Dem Schloß gegenüber, hinter einem uralten Maulbeerbaum halb versteckt, liegt die Kirche.« Auch sie wurde nach Plänen Gillys im neogotischen Stil restauriert. In ihr befindet sich ein Terracottarelief von Gottfried Schadow ›Apotheose der Königin Luise‹, das Fontane trotz seiner großen Verehrung für Schadow nicht sehr schätzte. »Mehr eigentümlich als schön. In ihrer Mischung von christlicher und heidnischer Symbolik ist uns die Arbeit kaum noch verständlich, jedenfalls unserem Sinne nicht mehr adäquat. Sie gehört, ihrer Grundanschauung nach, jener wirren Kunstepoche an, wo der große Fritz in Gefahr war, unter die Heiligen versetzt zu werden, wo er im Elysium, mit Sternenkranz und Krückstock angetan, die der Zeitlichkeit entrückten preußischen Helden wie zur Parade empfing. Eine Art Sanssouci auch dort oben.«

Eine Darstellung, die sich Friedrich II. auch von Ludwig Burger im zweiten Halbband des *Deutschen Krieges von 1866* zu Beginn des Kapitel über Königgrätz gefallen lassen mußte.

Der Schwielow und Caputh

Der Schwielow ist eine Havelbucht im großen Stil wie der Tegler See, der Wann-See, der Plauesche See. Allesammt sind es Flußhaffe, denen man zu Ehre oder Unehre den Namen ›See‹ gegeben hat. In etwaige Rangstreitigkeiten treten wir nicht ein; sie mögen unentschieden bleiben wie andere mehr. [...] Unter allen unsren Seen kommt er [der Schwielow] dem Müggelsee am nächsten. An Fläche und Ausdehnung diesem Könige der märkischen Gewässer nah verwandt, weicht er im Charakter doch völlig von ihm ab. Die Müggel ist tief, finster, tükkisch, – die alten Wendengötter brauen unten in der Tiefe; der Schwielow ist breit, behaglich, sonnig und hat die Gutmütigkeit aller breit angelegten Naturen. Er hält es mit leben und leben lassen; er haßt weder die Menschen noch das Gebild aus Menschenhand; [...].«

Bei seinem Besuch des Schwielow erfüllte sich Fontane den Wunsch, eine Segelbootfahrt über den See zu machen. »Wir waren jetzt in der Mitte des Sees, die Sonne stand hinter einem Gewölk, so daß alles Glitzern und Blenden aufhörte, und nach links hin lag jetzt in Meilentiefe der See. Ein Waldkranz, hier und da von einzelnen Pappeln und Ziegelessen überragt, faßte die weiten Ufer ein; vor uns, unter Parkbäumen, Petzow und Baumgartenbrück, nach links hin, an der Südspitze des Sees, das einsame Ferch.«

Die Fahrt dauerte zu lang, und die Rückkehr nach Berlin

war verpaßt, so mußte in Caputh an der Nordostspitze des Schwielow übernachtet werden. Zu Fontanes Zeit war Caputh »eines der größten Dörfer der Mark, eines der längsten gewiß«. Am nächsten Morgen traf eine Kremserpartie ein, die Fontane in »heitere« und »ernste« einzuteilen pflegte. Bei den »heiteren« waren immer Kinder dabei. Zumeist endeten sie mit Streit und Schimpf. »Und doch sind dies die *heitren* Landpartieen, denen wir die ernsten entgegenstellen. An diesen letzteren nehmen Kinder nie Teil. Es gibt auch *rote* Schleifen, aber das Rosa ist Ponceau geworden. Man spricht Pikanterieen, in einer Art Geheimsprache, für die nur der Kreis der Eingeweihten den Schlüssel hat. Bowle und Jeu lösen sich unter einander ab; unglaubliche Toaste werden ausgebracht und längst begrabene Gottheiten steigen triumphierend wieder auf. Sonderbar. Auf den heitren Landpartieen wird immer geweint, auf den ernsten Landpartieen wird immer nur gelacht.« Wer denkt bei diesen Sätzen nicht an das dreizehnte Kapitel von *Irrungen, Wirrungen*, an jenes Kapitel, da Bothos Kameraden mit ihren ›Damen‹ auf Hankels Ablage ›einfallen‹. Dann schildert Fontane eine jener *ernsten* Landpartien – ein kleines Kabinettstück – : »Zwei Herren, Fünfziger, mit großen melierten Backenbärten, Lebemänner aus der Schicht der allerneusten Torf- und Ziegel-Aristokratie, sprangen mit berechneter Leichtfüßigkeit vom Wagen und gaben dadurch Gelegenheit, das im Wagen verbliebene Residuum der Gesellschaft besser überfliegen zu können. Das Meiste war Staffage, bloße Najaden und Tritonen, die als Beiwerk, auch wohl als Folie notwendig da sein müssen, wenn Venus aus den Wellen steigt. Wem die Rolle der letztern oblag, darüber konnte kein Zweifel sein. Sie war 30, übertronte das Ganze, trug das Haar kurz geschnitten à la Rosa Bonheur und hielt eine große italienische Laute auf den Knieen. Übrigens war sie wirklich hübsch; alles im Brunhilden-Stil; dieselbe weiße Hand, die jetzt auf der Laute ruhte, hätte auch jeden beliebigen Stein 50 Ellen weit geschleudert.« Fontane hatte schon recht, wenn er nach der letzten Feile des Kapitels seiner Schwester Lischen schrieb: »Es ist alles mit dem Haarpinsel gemalt; die meisten aber [...] sind für Maurerpinsel und verstehen sich nicht auf den Unterschied zwischen malen und anstreichen. Ich mache den Unterschied.«

Wie der Name zeigt, ist Caputh wendischen Ursprungs. Im 17. Jahrhundert gehörten Schloß und Gut dem Kurfürsten, der es seinem Generalquartiermeister Philippe de la Chièze überschrieb. Der baute das Schloß neu auf; nach seinem Tod fiel der Besitz wieder an den Kurfürsten zurück, der es seiner Gemahlin Dorothea schenkte. »Das Schloß, um seinem neuen Zwecke zu dienen, mußte eine erhebliche Umgestaltung erfahren. Was für den in Kriegszeiten hart gewordenen de Chièze gepaßt hatte, reichte nicht aus für eine Fürstin; außerdem wuchsen damals – unter dem unmittelbaren Einfluße niederländischer Meister – rasch die Kunstansprüche in märkischen Landen.« Nach Dorotheas Tod (1689) schenkte es der junge Kurfürst Friedrich III. seiner Gemahlin Sophie Charlotte, die das Schloß weiter ausbaute und von innen neu ausstattete. Es war und blieb ein bevorzugter Aufenthaltsort, ein »kleines märkisches Juwel«. Dafür bot sich 1709 eine besondere Gelegenheit. Im Sommer dieses Jahres kamen auf Einladung des Königs der dänische König Friedrich IV. und Friedrich August von Polen nach Potsdam. Der prachtliebende preußische König wollte seinen Gästen etwas bieten. »Unter andern ward am 8. Juli auf der prächtigen Yacht, welche im Bassin des Lustgarten lag und mit 22 Kanonen ausgerüstet war, eine Lustfahrt nach *Caput* unternommen. [...] Man schätzte allein die goldenen und silbernen Geräte, die sich in seinem

Innern aufgestellt befanden, auf 100000 Thaler. Auf diesem Schiffe, das eigens dazu gebaut war, die Havel zu befahren, glitten die drei Könige stromabwärts nach dem Lustschloße von Caput.« Unter Friedrich Wilhelm I. war diese Zeit vorbei, die Yacht wurde nach Rußland verkauft, und Schloß Caput sank zu einem bloßen Jagdhaus herab, das allmählich außen und innen verfiel, bis im 19. Jahrhundert ein Privatmann das Gebäude restaurierte und von Peter J. Lenné den Park bis zum Templiner See anlegen ließ. Heute gehören Schloß und Park Caputh der Preußischen Stiftung Schlösser und Gärten und sollen in den nächsten Jahren behutsam renoviert werden. Ein Museum über die Zeit des großen Kurfürsten ist vorgesehen, auch gibt es Pläne für ein Hotel.

Petzow

In der nördlichen, etwa eineinhalb Kilometer breiten Hälfte des Schwielow liegt Caputh direkt gegenüber das Dorf Petzow. »Wie Buda-Pest, oder wie Köln und Deutz ein Doppelgestirn bilden, so auch Caputh und Petzow. Sie gehören zusammen. Zwar ist die Wasserfläche, die die beiden lezteren von einander trennt, um ein Erhebliches breiter als Rhein und Donau zusammengenommen, aber nichtsdestoweniger bilden auch diese beiden ›Residenzen diesseit und jenseit des Schwielow‹ eine höhere Einheit.« Zwischen Dorf und See steht das Schloß mit vier Türmchen und einem Zinnenkranz und der Park, beide erst im 19. Jahrhundert entstanden. Sie gehörten einer Familie von Bauern, die seit 1630 dort leben und im Laufe der Jahrzehnte Besitz erwarben und erweiterten. »Das *Schloß* in seiner gegenwärtigen Gestalt, wurde nach einem Schinkelschen Plane ausgeführt. Es zeigt eine Mischung von italienischem Kastell- und englischem Tudorstil, denen beiden die gotische Grundlage gemeinsam ist.« Fontane kritisierte Form und Ausführung und fand beides nicht gelungen. »Auch das Herrenhaus zu Petzow ist ein solcher gescheiterter Versuch. Was daran anmutend wirkt, ist, wie schon angedeutet, das *malerische* Element, nicht seine Architektur. [...] Der *Park* ist eine Schöpfung Lennés. An einem Hügelabhang gelegen wie Sanssouci, hat er mit diesem den Terrassen-Charakter gemein. In großen Stufen geht es abwärts. Wenn aber Sanssouci bei all seiner Schönheit einfach eine große *Wald*-Terrasse mit Garten und Wiesengründen bietet, so erblickt man von dem Hügelrücken des Petzower Parkes aus eine imposante *Wasser*-Terrasse, und unser Auge, zunächst ausruhend auf dem in *Mittel*höhe gelegenen, erlenumstandenen Park-See, steigt nunmehr erst auf die unterste Treppenstufe nieder – auf die *breite Wasserfläche* des Schwielow.«

Eine Tafel verkündete fäschlicherweise, daß in Petzow am 11. Dezember 1758 Zelter geboren wurde. Karl Friedrich Zelter, Goethes Freund und Direktor der Berliner Singakademie, wurde in Berlin geboren. Erst nach seiner Geburt pachtete sein Vater eine Ziegelei in Petzow, die Familie zog dorthin, und Zelter verbrachte seine Kindheit am Schwielow.

Heute befindet sich im Schloß ein Hotel, und im Sommer werden dort hin und wieder Konzerte gegeben.

Werder

Etwa zehn Kilometer westlich von Potsdam liegt auf einer Havelinsel Werder, es kam Beginn des 14. Jahrhunderts in Besitz des Klosters Lehnin, das den Weinanbau auf der Insel förderte. Gegen 1460 erhielt Werder das Stadtrecht, und seit dem 18. Jahrhundert gab es eine Brücke zum Festland, aber sonst blieb alles ärmlich und baufällig. »In allem diesem schaffte endlich das Jahr 1736 Wandel. – Dieselben beiden Faktoren: ›das Königtum und die Armee‹, die überall hier zu Lande aus dem kümmerlich Gegebenen erst etwas machten, waren es auch hier, die das Alte abtaten und etwas Neues an die Stelle setzten. Die Armee, wie unbequem sie dem Einen oder Andern sein mochte, damals wie heute, sie sicherte, sie bildete, sie baute auf. So auch in Werder.« Soldaten erhielten den Befehl, nach Potsdam zu marschieren, aber die Brücke in Werder war nicht fähig, »das 3. Bataillon Leibgarde zu tragen. Die Gardemänner aber, etwa im Gänsemarsch, einzeln in die Stadt einrücken zu lassen, dieser Vorschlag wurde gar nicht gewagt; Friedrich Wilhelm I. würde ihn als einen Affront geahndet haben. So gab es denn nur *einen* Ausweg, eine – *neue Brücke*. Der König ließ sie aus Schatullen-Geldern in kürzester Frist herstellen.«

Wenige Jahre zuvor war die Kirche umgebaut worden. »Hier befindet sich unter andern auch ein ehemaliges *Altar-Gemälde*, das in Werder den überraschenden, aber sehr bezeichnenden Namen führt: ›Christus als Apotheker‹.« Fontane fand es ›geschmacklos‹: »In diesen Spielereien erging man sich, unter dem nachwirkenden Einfluß der zweiten schlesischen Dichterschule, der Lohensteins und Hofmannswaldaus, zu Anfang des vorigen Jahrhunderts, wo es Mode wurde, einen Gedanken, ein Bild in unerbittlich-konsequenter Durchführung zu Tode zu hetzen. [...] 1734, in demselben Jahr, in dem die alte Zisterzienser Kirche renoviert wurde, erhielt Werder auch eine *Apotheke*. Es ist höchst wahrscheinlich, daß der glückliche Besitzer derselben sich zum Donator machte und das Bild-Kuriosum, das wir geschildert, dankbar – und hoffnungsvoll stiftete.«

Im 19. Jahrhundert war und noch heute ist Werder mit seinen großen Obstplantagen Zentrum des havelländischen Obstbaus. »Gärten und Obstbaum-Plantagen zu beiden Seiten; links bis zur Havel hinunter, rechts bis zu den Kuppen der Berge hinauf. Keine Spur von Unkraut; alles rein geharkt; der weiße Sand des Bodens liegt oben auf. Große Beete mit Erdbeeren und ganze Kirschbaum-Wälder breiten sich aus.« Seit über hundert Jahren ist das Baumblütenfest im Mai ein turbulentes Volksfest.

Zu Fontanes Zeiten brachten die ›Werderschen‹ am frühen Morgen ihr Obst auf die Berliner Märkte.

Blaue Havel, gelber Sand,
Schwarzer Hut und braune Hand,
Herzen frisch und Luft gesund
Und *Kirschen* wie ein Mädchenmund.

Der fünfzehnjährige Fontane besuchte vom Herbst 1833 bis zum Frühjahr 1836 die Klödensche Gewerbeschule, die in der Niederwallstraße lag. Damals wohnte er bei ›Onkel August [dem Stiefbruder von Fontanes Vater] und Tante Pinchen‹ in der Großen Hamburger Straße, und »jeden Morgen, auf unserem Schulwege, hatten wir ihren Stand [den der ›Werderschen‹] zwischen Herkules- und Friedrichsbrücke zu passieren, und wir können uns nicht entsinnen, je anders als mit

›Augen rechts‹ an ihrer langen Front vorübergegangen zu sein. Mitunter traf es sich auch wohl, daß wir das verspätete ›zweite Treffen‹ der Werderschen, vom Unterbaume her, heranschwimmen sahen: große Schuten dicht mit Tienen besetzt, während auf den Ruderbänken 20 Werderanerinnen saßen und ihre Ruder und die Köpfe mit den Kiepenhüten gleich energisch bewegten. [...] Welche Pfirsiche in Weinblatt! Die Luft schwamm in einem erfrischenden Duft, und der Kuppelbau der umgestülpten und übereinander getürmten Holztienen interessierte uns mehr als der Kommodenbau von Monbijou und, traurig zu sagen, auch als der Säulenwald des Schinkelschen Neuen Museums.«

Das Havelländische Luch

Die große norddeutsche Ebene ist reich an erlen-bestandenen Sumpfstrecken, die entweder an den Ufern der Flüße oder inselartig zwischen den Armen und Verzweigungen derselben sich hinziehen und gemeinhin Brüche oder Bruchland genannt werden. Jeder kennt das Weichsel- und das Oder-Bruch, – Fluß-Niederungen, die durch die Fruchtbarkeit ihres Bodens und einen entsprechenden Reichtum ihrer Bewohner berühmt geworden sind.«

»... Das *Havellland* oder mit anderen Worten jene nach drei Seiten hin von der Havel, nach der vierten aber von Rhin-Flüßchens eingeschlossene Havelinsel, bestand in alter Zeit aus großen, nur hier und dort von Sand oder Lehm-Plateaus unterbrochenen Sumpfstrecken, die sich, trotz der mannigfachsten Veränderungen und Umbildungen, bis diesen Tag unter dem Sondernamen ›*das Havelländische Luch*‹ oder auch blos ›*das Luch*‹ erhalten haben. [...] Wie das Havelland den Mittelpunkt Alt-Brandenburgs bildet, so bildet das Luch wiederum den Mittelpunkt des Havellandes.«

»Das große *Havelländische* Luch blieb in seinem Urzustand bis 1718, wo unter Friedrich Wilhelm I. die *Entwässerung* begann. Vorstellungen von Seiten der zunächst Beteiligten, die ihren eigenen Vorteil, wie so oft, nicht einzusehen vermochten, wurden ignoriert oder abgewiesen und im Sommer desselben Jahres begannen die Arbeiten. Im Mai 1719 waren schon über 1000 Arbeiter beschäftigt und der König betrieb die Kanalisierung des Luchs mit solchem Eifer, daß ihm selbst seine vielgeliebten Soldaten nicht zu gut dünkten, um mit Hand anzulegen. Zweihundert Grenadiere, unter Leitung von zwanzig Unteroffizieren, waren hier in der glücklichen Lage, ihren Sold durch Tagelohn erhöhen zu können. Im Jahre 1720 war die Hauptarbeit bereits getan, aber noch 5 Jahre lang wurde an der völligen *Trockenlegung* des Luchs gearbeitet.«

Für Fontane war das ›Havelländische Luch‹ der Mittelpunkt des Havellandes, das er oft besuchte. 1859 bereiste er die Bredowschen Güter im ›Ländchen Friesack‹, und im Frühjahr 1864 schrieb er einem Bekannten, daß er über die Bredows, die Briests, die Fouqués und die Stechows etwas schreiben wolle. 1869, während der Arbeit am *Havelland*, fuhr er wiederum ins Luch, und noch zwanzig Jahre später besuchte er die Güter der Bredows und das ›Ländchen Friesack‹.

1889 erfuhr er die Einzelheiten über die Trennung des Ardenneschen Ehepaares, und die Gestalt der ›Effi Briest‹ begann sich zu kristallisieren. In ersten Skizzen zum Roman hieß sie noch Betty, aber von Beginn an sollte sie im Havelland, in der Gegend um Nauen oder Cremmen zu Hause sein.

›Hohen-Cremmen‹, das Herrenhaus der Briests, ist ein fiktiver Ort. Er könnte in der Gegend von Nennhausen oder Stechow liegen. Nennhausen gehörte einstmals der Familie Briest, denn 1684 erhielt der Landrat Friedrich Briest das Gut Nennhausen für »den klugen Beistand, den er der Armee des großen Kurfürsten erst bei der Überrumpelung von *Rathenow* und dann später auf ihrem Marsch nach *Fehrbellin* leistete«. Eine Tochter des letzten Briest auf Nennhausen, die 1774 geborene Caroline Philippine, heiratete 1803 in zweiter Ehe Friedrich Baron de la Motte Fouqué, und beide lebten auf Nennhausen. Als Effi nach ihrer Heirat, jetzt Baronin von Innstetten, nach Kessin kommt, erzählt sie dem Apotheker Alonzo Gieshübler bei dessem ersten Besuch, »Ich bin eine geborene Briest und stamme von dem Briest ab, der am Tag vor der Fehrbelliner Schlacht, den Überfall auf Rathenow anführte ...«

Im vierten Kapitel des Romans kehrt Effi mit ihrer Mutter von einem kurzen Besuch in Berlin zurück, wo man sich um Effis Ausstattung bemüht hatte. »Gegen Mittag trafen beide Damen an ihrer havelländischen Bahnstation ein, mitten im Luch, und fuhren in einer halben Stunde nach Hohen-Cremmen hinüber.« Diese Bahnstation »mitten im Luch« ist Nennhausen, und Hohen-Cremmen könnte Nennhausen sein, vielleicht auch das benachbarte Stechow, denn Fontane wußte, daß sich Elisabeth von Plotho [das Urbild der Effi] und Armand von Ardenne in Stechow verlobt hatten.

Lehnin

Ganz im Süden des Havellandes liegt das Zisterzienserkloster Lehnin.

»Kapellen
Das Schiff umstellen;
In engen
Gängen
Die Lampen hängen
Und werfen ihre düstren Lichter
Auf grabstein-geschnittene Mönchsgesichter.«

»Die erste Gründung der Zisterzienser in der Mark – Zinna war nicht märkisch – war Kloster Lehnin. Es liegt zwei Meilen südlich von Brandenburg, in dem alten Landesteil, der den Namen »die Zauche« trägt. Der Weg dahin, namentlich auf seiner zweiten Hälfte, führt durch alte Klosterdörfer mit prächtigen Baumalleen und pittoresken Häuserfronten, die Landschaft aber, die diese Dörfer umgibt, bietet wenig Besonderes dar und setzt sich aus den üblichen Requisiten märkischer Landschaft zusammen: weite Flächen, Hügelzüge am Horizont, ein See, verstreute Ackerfelder, hier ein Stück Sumpfland, durch das sich Erlenbüsche, und dort ein Stück Sandland, durch das sich Kiefern ziehn. Erst in unmittelbarer Nähe Lehnins, das jetzt ein Städtchen geworden, verschönert sich das Bild, und wir treten in ein Terrain ein, das einer flachen Schale gleicht, in deren Mitte sich das Kloster selber erhebt. Der Anblick ist gefällig, die dichten Kronen einer Baumgruppe scheinen Turm und Dach auf ihrem Zweigwerk zu tragen, während Wiesen- und Gartenland jene Baumgruppe und ein Höhenzug wiederum jenes Wiesen- und Gartenland umspannt. Was jetzt Wiese und Garten ist, das war vor 700 Jahren ein eichenbestandener Sumpf, und inmitten dieses Sumpfes wuchs Kloster Lehnin auf, vielleicht im Einklang mit jenem Ordensgesetz aus der ersten strengen Zeit: daß die Klöster von Cisterz immer in Sümpfen und Niederungen, das heißt in *ungesunden* Gegenden, gebaut werden sollten, damit die Brüder dieses Ordens jederzeit den Tod vor Augen hätten.

Die Sage erzählt, daß Otto I., Sohn Albrecht des Bären, auf einer Jagd die Vision von einer Hirschkuh hatte, die er im Traum niederschoß. Er beschloß an diesem Ort ein Kloster zu errichten. »Und sofort schickte er zum Abt des Zisterzienserklosters Sittichenbach, im Mansfeldischen, und ließ ihn bitten, daß er Brüder aus seinem Konvente, zur Gründung eines neuen Klosters, senden möchte. Die Brüder kamen. Markgraf Otto aber gab dem Kloster den Namen Lehnin, denn Lehnije heißt Hirschkuh im Slawischen. Das Kloster wurde gebaut, vor allem die Kloster*kirche*. Sie bestand in ihrer ursprünglichen Form bis zum Jahre 1262. In diesem Jahre ließ die rasch wachsende Bedeutung des Klosters das, was da war, nicht länger als ausreichend erscheinen, und ein Anbau wurde beschlossen. Dieser Anbau fiel in die erste Blütezeit der Gotik, und mit der ganzen Unbefangenheit des Mittelalters, das bekanntlich immer baute, wie ihm gerade ums Herz war, und keine Rücksichtnahme auf den Baustil zurückliegender Epochen kannte, wurde nunmehr das *romanische Kurzschiff der ersten Anlage durch ein gotisches Längsschiff erweitert*. Dieser Erweiterungsbau hat der Zeit und sonstigem Wirrsal schlechter zu widerstehen vermocht als der ältere Teil der Kirche; das Alte steht, der Anbau liegt in Trümmern.«

Schon fast zweihundert Jahre früher war Kloster Lehnin

ein gern besuchter Ort, den man von Berlin aus mit Pferd und Wagen oder winters im Pferdeschlitten erreichen konnte. Eine solche Schlittenfahrt schildert Fontane im 15. Kapitel seines ersten Romans *Vor dem Sturm*.

»An den ausgebauten Häusern von Zehlendorf vorbei ging es im Fluge auf das Stimmingsche Gasthaus am Wannsee zu, und Lewin, mit der Hand nach links deutend, wies jetzt auf eine umfriedete, nur an vier Pappeln erkennbare Stelle hin, wo sich seit Jahresfrist der Grabhügel Heinrichs von Kleist erhob. [...] als schon ihr Schlitten durch die defileeartige Schmalung hindurchglitt, die bei Kohlhasenbrück durch den dicht an die Straße herantretenden Fichtenwald und von der anderen Seite her durch das Röhricht des Griebnitzsees gebildet wird. Eine Minute später, und die verschneiten Weberhäuser von Nowawes, nicht viel größer wie winterliche Grabhügel, lagen zu beiden Seiten, und jetzt am Brauhausberg, dann an der Schloßkolonnade vorbei, ging es in das stille Potsdam hinein. [...] Es war jetzt zwei Uhr. Die Kuppeldächer der Communs und des Neuen Palais blinkten in der Nachmittagssonne, und unmittelbar dahinter dehnte sich der Golmer Bruch; Dorf Eiche mitsamt seinem Kirchturm schien darin zu versinken. Nun lag auch das zurück, und aus der Eis- und Schneewüste, zu der die sonst in seeartigen Flächen dahinfließende Havel geworden war, ragten nur noch die Mastspitzen von ein paar Dutzend Kähnen auf, die der Frost auf ihrer Fahrt überrascht und zur Überwinterung im Eise gezwungen hatte. Dann kam Stadt-Werder, nur kenntlich an einer Rauchsäule, die über der großen Brauerei der Insel stand, und nun an niedrigen, aber steilen Hügeln vorbei, auf deren Abhängen nichts sichtbar war als Krähen und Schnee, jagten die Schlitten den nächsten Dörfern zu. [...] Zuerst Tannen. Ah, wie die Stille des Waldes alles labte! Der Wind schwieg, und jedes Wort, auch wenn leise gesprochen, klang laut im Widerhall. Ein warmer Harzduft war in der Luft und steigerte das Gefühl des Behagens. Über den Weg hin, hier und dort, liefen die Spuren, die das Wildschwein in den Schnee gewühlt hatte; von den schwanken Zweigen flog das Rotkehlchen auf, und aus der Tiefe des Waldes hörte man den Specht. Nun kam eine große Lichtung, an deren entgegengesetzter Seite das Laubholz anfing, aber zunächst noch mit Tannen untermischt. Die Sonne glühte hinter den Bäumen, und je nachdem die Lichter fielen, schimmerte das braune Laub der Eichen golden oder kupferfarben, während die schwarzen Tannenwipfel wie scharfgezeichnete Schatten in der schwimmenden Glut des Abends standen. Alles war hingerissen von der Schönheit des Anblicks [...] Und ehe noch unsere Reisenden sich zurechtgefunden und ihrer Überraschung Ausdruck gegeben hatten, hielten sie schon vor ihrem Ziel: der Klosterkirche von *Lehnin*.«

»Lehnin war nicht nur das älteste Kloster in der Mark, es war auch, wie schon hervorgehoben, das reichste, das begütertste, und demgemäß war seine Erscheinung. Nicht daß es sich durch architektonische Schönheit vor allen andern ausgezeichnet hätte – nach dieser Seite hin wurd es von Kloster Chorin übertroffen –, aber die Fülle der Baulichkeiten, die sich innerhalb seiner weitgespannten Klostermauern vorfand, die Gast- und Empfangs- und Wirtschaftsgebäude, die Schulen, die Handwerks- und Siechenhäuser, die nach allen Seiten hin das eigentliche Kloster umstanden, alle diese Schöpfungen, eine gotische Stadt im kleinen, deuteten auf die Ausgedehntheit und Solidität des Besitzes.«

»Elf Askanier lagen hier und einträchtig neben ihnen *drei* aus dem Hause der Hohenzollern, *Friedrich* mit dem Eisenzahn, *Johann Cicero* und *Joachim I.* Dieser stand nur ein einzig Jahr in der Gruft (von 1535 bis 1536), dann wurde sein Sarg, wie der Sarg seines Vaters und Großoheims, nach Berlin hin übergeführt, wo ihnen im Dom eine Stätte bereitet war. Jener Tag der Überführung der drei Särge von Lehnin nach dem Dom in Cölln an der Spree war recht eigentlich der Todestag Lehnins. Die Güter wurden eingezogen, und innerhalb zwanzig Jahren war die Umwandlung vollzogen – der Klosterhof war ein Amtshof geworden. Der Krieg kam und begann sein Werk der Zerstörung, aber schlimmer als die Hand der Schweden und Kaiserlichen, die hier abwechselnd ihr Kriegswesen trieben, griffen in Zeiten tiefsten Friedens die Hände derer ein, die am ehsten die Pflicht gehabt hätten, diese alte Stätte zu schützen und zu wahren: die Um- und Anwohner selbst. Freilich waren diese Um- und Anwohner zumeist nur solche, die weder selbst noch auch ihre Väter und Vorväter das alte Lehnin gekannt hatten. 1691 waren Landsleute aus der Schweiz nach *Amt* Lehnin berufen worden, um bessere Viehzucht daselbst einzuführen. Kloster Lehnin wurde nun ein Steinbruch für Büdner und Kossäten, und Haue und Pickaxt schlugen Wände und Pfeiler nieder. Die Regierungen selbst, namentlich unter Friedrich Wilhelm I. nahmen an diesem Vandalismus teil, und weil die ganze Zeit eine die Vergangenheit schonende Pietät nicht kannte, so geziemt es sich auch nicht, dem einzelnen einen Vorwurf daraus zu machen, daß er die Anschauungsweise teilte, die damals die gültige war. Kloster Lehnin, wär es nach dem guten Willen seiner Schädiger gegangen, würde nur noch eine Trümmerstätte sein, aber das alte Mauerwerk erwies sich als fester und ausdauernder als alle Zerstörungslust, und so hat sich ein Teil des Baues, durch seine eigene Macht und Widerstandskraft, bis in unsere Tage hinein gerettet.«

Fontane besuchte Lehnin im Oktober und November 1863, erst ein Jahrzehnt später – Herbst 1872 – erschien der dritte Wanderungsband *Havelland*, in dem das Kapitel über Lehnin aufgenommen wurde. In der Zwischenzeit, ab 1871, war die verwahrloste Klosteranlage restauriert und zum Teil rekonstruiert worden. Gegenwärtig ist das Klosterareal ein Krankenhaus.

Kleists Grab

In *Vor dem Sturm* hatte Fontane eine Winterfahrt nach Kloster Lehnin geschildert, die am Grabe Heinrich von Kleists vorbeiführte. Über ein halbes Jahrhundert später erzählte er im Kapitel »Dreilinden« aus *Fünf Schlösser* von einem eigenen Besuch des Grabes.

Fontane nahm seinen Weg, von Dreilinden kommend, zum ›Kleinen Wannsee‹, und unterwegs traf er eine »Partie« von: »vier Personen und einem Pinscher, die, den Pinscher nicht ausgeschlossen, mit jener Heiterkeit, die, von alter Zeit her, allen Gräberbesuch auszeichnet, ihre Pilgerfahrt bewerkstelligten. Es waren kleine Leute, deren ausgesprochenster Vorstadts- und Bourgeois-Charakter, mir, in dem Gespräche, das sie führten, nicht lange zweifelhaft bleiben konnte.

Die Tochter ging ein paar Schritte vorauf. ›Er soll ja so furchtbar arm gewesen sein‹, sagte sie mit halber Wendung, während sie zugleich mit einem an einer Kette hängenden großen Medaillon spielte. ›Solch' berühmter Dichter! Ich kann es mir eigentlich jar nich denken.‹

›Ja, das sagst du wohl, Anna‹, sagte der Vater. ›Aber das kann ich dir sagen, arm waren sie damals alle. Und der Adel natürlich am ärmsten. Und war auch Schuld. Denn erstens diese Hochmütigkeit, und dann der Kladderadatsch und diese Schlappe. Na, Gott sei Dank, so was kommt nich mehr vor. Davor haben wir jetzt Bismarcken.‹

›Ach, Herrmann‹ unterbrach ihn hier die Frau, ›laß doch *den*. Hier sind wir ja doch bei Kleisten. Und arm? Ich hab es janz anders gehört; um eine kranke Frau war es. Und er soll ihr ja so furchtbar geliebt haben.‹

›I, Gott bewahre‹ sagte der Mann in einem Ton, als ob es sich um das denkbar Unglaublichste gehandelt hätte.

Während dies Gespräch noch andauerte, hatten wir einen Punkt erreicht, wo der über die Wiese führende Weg ein Ende zu haben schien, bis wir zuletzt, bei schärfrem Hinsehn, eines Fußpfades gewahr wurden, der sich, zwischen allerlei Gestrüpp hin, in einer schmalen Schlängellinie fortsetzte. War das *unser* Weg? Ein Versuch schien wenigstens geboten, und siehe da, keine hundert Schritt und wir hatten's und standen an der Grabstelle, die, seitab und einsam im Schatten gelegen, denselben düstren Charakter zeigte, wie das Leben, das sich hier schloß. Auch eine pietätvolle Wiederherstellung der durch viele Jahre hin vernachlässigten Stelle, hat an dem Eindruck nichts ändern können. Ein Eisengitter zwischen vier Steinpfeilern schließt das Grab ein, das *zwei* Grabsteine trägt: einen abgestumpften Obelisken aus älterer und einen pultartig zugeschrägten Marmor aus neurer Zeit. Auf dem abgestumpften Obelisken fanden wir ein Häuflein Erde, darin eine sinnige Hand, vielleicht keine Stunde vor uns, einen Strauß unterwegs gepflückter Feldblumen eingesetzt hatte. Zu Füßen des Obelisken aber, auf dem zugeschrägten Marmorsteine, stand das folgende:

HEINRICH VON KLEIST
Geb. 10. Oktober 1776,
gest. 21. September 1811.

Er lebte, sang und litt in trüber, schwerer Zeit,
Er suchte hier den Tod und fand *Unsterblichkeit*.

[Fontanes Angaben waren unrichtig, die Daten auf dem Stein heißen richtig: Geboren am 18. Oktober 1777, gestorben am 21. November 1811. Außerdem stand unter den Verszeilen noch der Hinweis ›Matth. 6, V. 12‹ (Und vergib uns unsre Schulden, wie wir unsern Schuldigern vergeben.)]

Die Tochter las die Verse laut und ob es nun die Nähe des Grabes oder vielleicht auch nur die Verlegenheit war, in die so viele Menschen geraten, wenn sie Verse hören (ein Rest von Respekt vor dem alten Propheten- und Bardentum), gleichviel, alles im Kreise wurde still und diese Stille wirkte wie Huldigung und Gebet.

Erst der Rattenpinscher, dem die Szene zu lange dauern mochte, gab uns durch einen dreimaligen Unmutsblaff unsren Augenaufschlag und gleich danach auch unsre Bewegung wieder und denselben Schlängelpfad entlang, auf dem wir gekommen waren, schritten wir nunmehr auf die draußenliegende Waldwiese zurück.

Neben der Tochter ging jetzt ein in dem doppelten Abhängigkeitsverhältnis von Geschäft und Liebe stehender junger Mann und versuchte das auf dem Hinweg unterbrochne literarische Gespräch wieder aufzunehmen. Er begann mit H. v. Kleist's Käthchen, das alle sonderbarerweise kannten, und gebrauchte dabei den Ausdruck ›holdseliges Geschöpf‹.

Aber darin versah er es durchaus und Anna, die das Prinzip der ›Erziehung von Anfang an‹ aller Wahrscheinlichkeit nach von der Mutter adoptiert hatte, replizierte scharf: ›Ich weiß nicht, Herr Behm, was sie so nennen. Ich find' es blos unnatürlich, immer so nachlaufen und sich alles gefallen lassen. Und es verdirbt blos die Männer, die schon nichts taugen.‹

Er wollte mit Nachdruck und Wärme das Gegenteil versichern, aber die Mutter trat peremtorisch dazwischen und sagte: ›Recht, mein Anneken ... Ja, Herr Behm, Anna hat Recht.‹

Und nun waren wir wieder an der Stelle, wo der Weg sich teilte, weshalb ich meinen Hut zog und mich auf's *artigste* verabschiedete. Nichtsdestoweniger konnt' ich, rückblickend, an Blick und Gesten unschwer erkennen, daß die Meinungen über mich schwankend und nur die der Mutter zu meinen Gunsten waren. Was mich allerdings über den endlichen Ausgang der Sache beruhigte.

Bald danach, als ich einen höher gelegenen Punkt erreicht hatte, hielt ich noch einmal an und überschaute das vor mir ausgebreitete, landschaftliche Bild. Nach Westen hin lagen Fluß und Wald in einem goldnen Abendschimmer und Villentürme, Kiosks und Kuppeln wuchsen daraus empor. Alles was ich sah, war Leben, Reichtum, Glück. Und daneben gedacht' ich des *Dichter-Grabes*, das einsam ist, trotz der Neugier, die jetzt tagtäglich nach ihm pilgert. Aber ich gedachte zugleich auch der unbekannten Hand, die vor wenig Stunden erst einen Feldblumenstrauß in jenes Häuflein Erde gepflanzt hatte und getröstete mich: »eine Hand voll Liebe besiegt *jedes* Geschick.«

Die Grabstelle, wie sie Fontane kannte und beschrieb (»einen abgestumpften Obelisken aus älterer und einen pultartig zugeschrägten Marmor aus neuerer Zeit«), war 1861 zum 50. Todestag Kleists gestaltet worden. Mitte der dreißiger Jahre unseres Jahrhunderts wurde sie verändert. Denn die von Fontane zitierten Verse stammten von dem jüdischen Arzt, Schriftsteller und Mitglied des ›Tunnel‹ Max Ring (1817-1901), der sich nachhaltig um die Erhaltung des Grabes bemüht hatte. Er hatte erreicht, daß die Grabstelle erhalten blieb, außerdem sammelte er Geldspenden. »Mit Hilfe dieser Summe und einiger anderen Beiträge, darunter einer namhaften Geldspende des Kleistschen Geschlechtes, wurde ich in den Stand gesetzt, die Gräber durch ein eisernes Gitter zu schützen, den ganzen Platz mit Bäumen und Blumen zu bepflanzen und das Andenken des Dichters durch ein Grabstein zu ehren.« Jetzt steht über dem Grab ein großer, leicht rötlicher Stein mit der Inschrift:

Heinrich von Kleist / geboren 18. Oktober 1777 / gestorben 21. November 1811 / nun, / o Unsterblichkeit, / bist du ganz mein.

Das ist die erste Zeile des großen Schlußmonologs des *Prinzen von Homburg* (5. Akt, 10. Auftritt). Der Name von Henriette Vogel, die mit Kleist in den Tod ging, wurde nicht erwähnt.

Oderland

Chorin

Nordöstlich von Berlin, an der Strecke Bernau – Eberswalde – Angermünde, liegt Kloster Chorin. Als eine der zahlreichen Filialen Lehnins wurde das ehemalige Zisterzienserkloster gegen Ende des 13. Jahrhunderts gegründet. »Unter den Töchten Lehnins war *Chorin* die bedeutendste, ja, eine Zeitlang schien es, als ob das Tochterkloster den Vorrang über die *mater* gewinnen würde. Das war unter den letzten Askaniern. Diese machten Chorin zum Gegenstand ihrer besonderen Gunst und Gnade und beschenkten es nicht nur reich, sondern wählten es auch zu ihrer Begräbnisstätte ...«

»*Chorin* erreicht man am bequemsten von der benachbarten Eisenbahnstation Chorinchen aus, die ziemlich halben Weges zwischen Neustadt-Eberswalde und Angermünde gelegen ist. Ein kurzer Spaziergang führt von der Station aus zum Kloster. Empfehlenswert aber ist es, in Neustadt bereits die Eisenbahn zu verlassen, und in einem offenen Wagen an Kapellen, Seen und Laubholz vorbei, über ein leichtgewelltes Terrain hin, den Rest des Weges zu machen. Dies Wellenterrain wird auch Ursache, daß Chorin, wenn es endlich vor unseren Blicken auftaucht, völlig wie eine Überraschung wirkt. Erst in dem Augenblicke, wo wir den letzten Höhenzug passiert haben, steigt der prächtige Bau, den die Hügelwand bis dahin deckte, aus der Erde auf und steht nun so frei, so bis zur Sohle sichtbar vor uns, wie eine korkgeschnitzte Kirche auf einer Tischplatte. Es kommt dies der *architektonischen* Wirkung, wie gleich hier hervorgehoben werden mag, sehr zustatten, weniger der *malerischen*, die für eine Ruine meist wichtiger ist als jene ...«

Fontane erzählt von den Schicksalen des Klosters von der

Gründung bis zur Säkularisierung im 16. Jahrhundert. »Die Vorgänge, die die Säkularisierung Chorins begleiteten, waren wohl dieselben wie bei der Einziehung der brandenburgischen Klöster überhaupt. Chorin wurde freilich zunächst aus freier Hand verkauft, aber dies hatte keinen Bestand, und binnen kurzem wurde auch hier der Klosterhof, eine Domäne. Er ist es noch. Von den alten Baulichkeiten, wenn dieselbe auch Umwandlungen unterworfen wurden, ist noch vieles erhalten; lange einstöckige Fronten, die den Mönchen als Wohnung und Arbeitsstätten dienen mochten, dazu Abthaus, Refektorium, Küche, Speisesaal, ein Teil des Kreuzganges, vor allem die Kirche. Diese, wenn schon eine Ruine, richtiger eine ausgeleerte Stätte, gibt doch ein volles Bild von dem, was diese reiche Klosteranlage einst war. Schon die Maße, die Dimensionen deuten daraufhin; das Schiff ist 44 Fuß länger als die Berliner Nikolaikirche und bei verhältnismäßiger Breite um 17 Fuß höher. Im Mittelschiff stehen auf jeder Seite elf viereckige Pfeiler (einige zur Linken sind neuerdings verschwunden); der zwölfte Pfeiler, rechts wie links, steckt in der Mauer. Die Konsolen oder Kapitälornamente sind verschieden gestaltet und stellen abwechselnd Akanthus-, Klee- und Eichenblätter dar. Das Blattwerk zeigt hier und da noch Spuren von grüner Farbe, während der Grund rot und gelb gemalt war. Freskoartige Malereien finden sich noch in letzten Überresten im Kreuzgang; an einer stehengebliebenen Kappe zeigt sich Zweig- und Blattwerk, das ein Walnußgesträuch darzustellen scheint. Das hohe Gewölbe, welches von den Pfeilern des Mittelschiffes getragen wurde, ist seit einem Jahrhundert eingestürzt. Anstelle desselben wurde im Jahr 1772 ein Dachstuhl aufgerichtet, der seitdem das neue Dach trägt. Dies neue Dach ist niedriger, als das alte war, was sich an den Giebelwänden, besonders an dem Frontispiz im Westen noch deutlich mar-

kiert. [...] Wer hier in der Dämmerstunde des Weges kommt und plötzlich zwischen den Pappeln hindurch diesen still einsamen Prachtbau halb märchenartig, halb gespenstisch auftauchen sieht, dem ist das Beste zuteil geworden, das diese Trümmer, die kaum Trümmer sind, ihm bieten können. Die Poesie dieser Stätte ist dann wie ein Traum, wie ein romantisches Bild an ihm vorübergezogen, und die sang- und klanglose Öde des Innern hat nicht Zeit gehabt, den Zauber wieder zu zerstören, den die flüchtige Begegnung schuf.«

Fontane erinnerte sich an Augusttage des Jahres 1858, als er zusammen mit Bernhard von Lepel die Ruinen des schottischen Zisterzienserklosters Melrose Abbey im Tal des Tweed besuchte. Damals zitierte er Scotts Verse aus dessen *Lay of the Last Minstrel:* »If thou would'st view fair Melrose aright, / Go visit it by pale moonlight (Und willst du des Zaubers sicher sein, / So besuche Melros' bei Mondenschein)«.

Heute ist die Klosteranlage – ein Juwel der norddeutschen Backsteingotik – wieder in gutem Zustand.

Am Werbellin

Westlich von Chorin liegt einer der schönsten märkischen Seen, der ›Werbellin‹. »Ein Zauber ist um ihn her, [...] Es scheint, als ob alle Welt, auch in den alten Tagen schon, ein Ohr für den Wohlklang dieses Namens gehabt haben, denn alles, was um den See herum gelegen ist, hat den Namen von ihm entlehnt, und wir unterscheiden außer dem eigentlichen ›Werbellin‹ noch eine *Stadt*, ein *Dorf* und ein *Schloß* gleichen Namens, woran sich dann schließlich der Werbelliner *Forst* reiht.«

Stadt, Dorf und Schloß Werbellin gibt es nicht mehr, nur der See – an manchen Stellen erreicht er eine Tiefe von sechzig Metern – ist geblieben, wie eh und je. Früher war er durch seinen großen Fischreichtum bekannt. Westlich des Sees erstreckt sich die ›Schorfheide‹, das große und wildreiche Jagdgebiet, das jahrhundertelang bis in die jüngste Vergangenheit nur von Privilegierten aus Staat und Politik betreten werden durfte.

Das alles ist hin, »nur der See selber ist in seiner alten Schönheit verblieben. [...] Kleine Wellen schäumen ans Ufer, vor uns die breite Wasserfläche liegt noch im Licht, während sich nach Norden hin bläuliche Schatten über Wald und See breiten. [...] Es ist ein Märchenplatz, auf dem wir sitzen, denn wir sitzen am Ufer des ›Werbellin‹.«

Bad Freienwalde

Südöstlich vom Werbellin liegt Bad Freienwalde. »Freienwalde – hübsches Wort für hübschen Ort. Seine Rechtschreibung schwankt; aber ob wir Freienwalde schreiben (von ›frei im Wald‹) oder Freyenwalde (von Freya im Wald), in den Marken gibt es wenig Namen von besserm Klang. [...] Freienwalde ist eine Bergstadt, aber nicht minder ist es ein Badeort, eine *Fremdenstadt*. [...] eine Fremdenstadt und trägt es auf Schritt und Tritt zur Schau; was ihm aber ein ganz eigentümliches Gepräge gibt, das ist das, daß alle Bade- und Brunnengäste, alle Fremden, die sich hier zusammen finden, eigentlich keine Fremden, sondern märkische Nachbarn, *Fremde aus nächster Nähe* sind. Dadurch ist der Charakter des Bades vorgeschrieben. Es ist ein *märkisches* Bad und zeigt als solches in allem jene Leichtbegnüglichkeit, die noch immer einen Grundzug unseres märkischen Wesens bildet. [...] Nichts von Hyperkultur, wenig von Komfort. Während überall sonst ein gewisser Kosmopolitismus die Eigenart jener Städte, die das zweifelhafte Glück haben ›Badeörter‹ zu sein, abzuschwächen oder ganz zu verwischen wußte, ist Freienwalde eine *märkische* Stadt geblieben. Kein Wunder. Nicht der Welttourist, *nur die Mark selber kehrt hier zum Besuch bei sich ein.*«

Freienwalde gehörte einst den Uchtenhagens, einer Familie, die bereits Ende des 17. Jahrhunderts ausstarb. Der Ort, »wo die alte Zeit der Uchtenhagens in Bild und Wort am vornehmlichsten zu uns spricht«, das ist die Freienwalder Kirche St. Nikolai, ein einschiffiger Backsteinbau aus dem 15. Jahrhundert mit einem breiten Chor. »Zur Linken des Altars, befindet sich das beinah lebensgroße Bildnis Kaspars von Uchtenhagen, desselben, von dem die Sage erzählt, das Bosheit ihn vergiftet habe.« Fontane beschreibt das fast lebensgroße Bild mit dem neunjährigen Knaben: »blaß, durchsichtig, mit schmalen Lippen und rotblondem Haar, ein feines Köpfchen, klug und durchgeistigt, aber wie vorausbestimmt zu Leid und frühem Tod.«

Dem Freunde Karl Zöllner empfahl er einen Besuch der Kirche, »deren Uchtenhagen-Bilder Dich dann interessieren werden. Ich zähle das leisklagend-poetische Verklingen dieses Geschlechts, zu dem rührendsten und anheimelndsten was wir derart in Sage und Dichtung haben, nicht blos in der Mark, sondern überhaupt.«

Von den ›heilsamen‹ Quellen Freienwaldes hörte auch der große Kurfürst und besuchte mit seiner Gemahlin den ›Gesundbrunnen‹. Die Heilkraft der Quelle behielt ihren Ruf auch unter den Nachfolgern. Friedrich Wilhelm II. ließ durch

David Gilly auf dem Apothekerberg ein kleines Schloß errichten, das seine Gemahlin, Luise Friederike, nach dem Tode des Königs (1797) zu ihrem Witwensitz erhob. »Es hat mehr den Charakter eines stattlichen, geschmackvoll aufgeführten Privathauses, als den eines Schlosses. Unter Laub und Blumen gelegen, aus denen überall unterbrochen die gelben Wände hervorleuchten, macht das Ganze einen durchaus heitern Eindruck und doch heißt es auch von diesen Mauern: ›sie haben Leides viel gesehn‹. Stilles Leid, aber um so tiefer vielleicht, je stiller es getragen wurde.« Der umliegende Park wurde 1820 von Joseph Peter Lenné zum Landschaftsgarten gestaltet. Am Beginn unseres Jahrhunderts erwarb Walter Rathenau, der spätere Außenminister der Weimarer Republik, das Anwesen.

Schiffmühle

Nördlich von Bad Freienwalde liegt der Ort Schiffmühle, in dem Fontanes Vater die letzten Jahre seines Lebens verbrachte. 1838 hatten die Eltern Swinemünde verlassen und eine Apotheke in Letschin – knapp dreißig Kilometer südöstlich von Bad Freienwalde – erworben. Knapp zehn Jahre später trennten sie sich. Fontanes Mutter zog mit ihrer Tochter Lischen nach Neuruppin. Die Letschiner Apotheke übernahm 1850 Hermann Sommerfeldt, der Fontanes Schwester Jenny geheiratet hatte, und Louis Henri Fontane wohnte zunächst in Eberswalde, später in Schiffmühle. In seinen Kindheitserinnerungen berichtet Fontane vom letzten Besuch. Die Eisenbahn brachte ihn bis Eberswalde, danach ging es weiter im offenen Wagen nach Bad Freienwalde: »und [ich] schritt

nun auf einem von alten Weiden eingefaßten Damm auf Schiffmühle zu, dessen blanke, rote Dächer ich beim Heraustreten aus der Stadt vor Augen hatte. Der Weg war nicht weiter als eine gute halbe Stunde, Rapsfelder links und rechts, einzelne mit Storchennestern besetzte Gehöfte weit über die Niederung hin verstreut und als Abschluß des Bildes, jene [...] jenseits der alten Oder ansteigende Reihe von Sandbergen.« Im ›Intermezzo – Vierzig Jahre später‹, einem der bewegendsten Kapitel seines ›autobiographischen‹ Romans *Meine Kinderjahre*, erzählt Fontane von dieser letzten Begegnung. Beide spazierten plaudernd einen Sandhügel hinauf »und traten in den [...] Fichtenwald ein, der den ganzen Bergrücken, eigentlich schon ein Plateau, überdeckte. Ein Säuseln ging durch die Kronen und ich sagte, während ich in die Höh blickte, so vor mich hin: ›Und in Poseidons Fichtenhain tritt er mit frommem Schauder ein.‹« Wenige Wochen später mußte Fontane wiederkommen: »Es war in den ersten Oktobertagen [1867] und oben auf dem Bergrücken, da, wo wir von ›Poseidons Fichtenhain‹ gescherzt hatten, ruht er nun aus von Lebens Lust und Müh.«

Heute noch kann man Fontanes Weg gehen, die alte Oder auf einer Brücke überqueren und auf das Häuschen mit dem kleinen Fenster, dem ›Kuckloch‹, zugehen, in dem Louis Henri Fontane von 1855 bis 1867 wohnte. Eine kleine Tafel kündet von ihm, und am Ende der langen Dorfstraße findet man seine letzte Ruhestätte, die Steinplatte des Einzelgrabes liegt hinter der Kirche.

»Berglehnen, die Oder fließt dran hin,
Zieht vorüber in trägem Lauf,
Gelbe Mummeln schwimmen darauf;
Am Ufer Werft und Schilf und Rohr,

Und am Abhange schimmern Kreuze hervor,
Auf eines fällt heller Sonnenschein –
Da hat mein Vater seinen Stein.«

Das Oderbruch

Das Oderbruch‹, die Landschaft diesseits und jenseits der Oder, etwa zwischen Schwedt im Norden und Frankfurt/Oder im Süden, war Fontane aus seinen Jugendjahren wohl bekannt, denn seit Frühjahr 1838 lebten die Eltern in der Letschiner Apotheke, und Fontane war oft zu Besuch bei ihnen, auf Tage, Wochen und auch länger. Mitte der vierziger Jahre arbeitete er als Apotheker in Letschin, und im Sommer 1846 bereitete er sich dort auf seine Staatsprüfung vor.

Als er, nach der endgültigen Rückkehr aus England, begann, an den Wanderungsbänden zu schreiben, reiste er von Zeit zu Zeit ins ›Oderland‹. Wie diese Reisen abliefen, erzählt ein tagebuchartiger Brief. »Nun also von meiner Reise. Sie war sehr schön und vom Wetter eher begünstigt als nicht. Es regnete von Zeit zu Zeit, aber immer wenn ich in der Stube oder im Postwagen saß, so daß ich eigentlich gar nicht darunter gelitten habe. [...] *Dienstag.* Um 6 Uhr in Sonnenburg zum Johanniter-Ritterschlag. Abgestiegen in einer Kneipe. Um 9 in die Kirche. Beginn der Ceremonie 11 Uhr. Schluß 1 Uhr. Um 2 zu Fuß nach Cüstrin zurück (dritthalb Meilen). Per Bahn nach Frankfurt weiter. Um 7 in Frankfurt. [...] Einen Bericht für die Kreuz-Ztng. geschrieben. *Mittwoch d. 25!* Um 5 mit dem Dampfschiff von Frankfurt bis Schwedt. Reizende Fahrt. Etwas windig aber sehr angenehm. In Schwedt zu Tisch. Besuch von Schloß und Park. Nach Angermünde und

Neustadt-Eberswalde. Nachtquartier. Ausgeschlafen. (Die einzige Nacht während der ganzen Woche wo ich wirklich ordentlich geschlafen habe, sonst immer Nachtfahrten und Sopha-Nicken.) *Donnerstag d. 26.* [...] nach Freienwalde. Besuch der interessanten Kirche; Uchtenhagensche Bilder und Denkwürdigkeiten. Schloßberg, Ruinenberg. Spät zu Bett; in aller Frühe wieder auf. Nach Wrietzen. *Freitag d. 27*! Von Wrietzen nach Letschin. Mit Sommerfeldts geplaudert. [...] Sonnabend d. 28! Um 2 1/2 Morgens nach Küstrin. Zwei Stunden (bei Regen) im Gasthof. [...] Um 10 nach Tamsel. Ein paar Stunden in der Kirche dort. Gegessen im Gasthaus, Kaffe getrunken bei Rechnungsführer Wallbaum. In's Schloß. Der Graf äußerst liebenswürdig. Um 3 nochmals zu Tisch. Im dicken Ueberzieher, mit ungeputzten Stiefeln, neben Gräfin Schwerin und Gräfin Finckenstein Platz genommen; übrigens ungenirt mit Todesverachtung [...] Nach dem Diner in den Weinkeller, um Liqueure (Eau de Noyaux etc) und Ungarweine zu proben. Dann Kaffe. Dann in die Bildergallerie und Notizen gemacht. Dann mit dem Grafen auf's *Zorndorfer* Schlachtfeld gefahren (reizende Parthie bei Sonnenuntergang); dann zum Thee; dann Akten durchgestöbert; um 11 1/2 zu Bett um 1 wieder auf. Um 2 (der Schnellzug hält in Tamsel nicht an) nach Cüstrin. Um 4 in Frankfurt. Um 5 1/4 in Berlin. Um 6 zu Haus. Da hast Du die ganze Geschichte.«

In dieser Landschaft sollte sein erster Roman spielen, das Oderbruch ist eng mit *Vor dem Sturm* verflochten, Passagen des Romans könnten in den *Wanderungen* stehen und umgekehrt.

»Am West-Ufer der Oder, nach rechts hin vom Fluße selber begrenzt, nach links hin von den Abhängen des Barnim-Plateaus wie von einem gebogenen Arm umfaßt, liegt das *Oderbruch*. Es ist eine 7 Meilen lange und etwa 2 Meilen breite

Niederung. [...] Alle noch vorhandenen Nachrichten stimmen darin überein, daß das Oderbruch vor seiner Urbarmachung eine wüste und wilde Fläche war, die sehr wahrscheinlich unsrem *Spreewalde* verwandt, von einer unzähligen Menge größerer und kleinerer Oder-Arme durchschnitten wurde. [...] Alle Jahre stand das Bruch zweimal unter Wasser, nämlich im Frühjahr um die Fastenzeit, nach der Schneeschmelze an *Ort* und *Stelle*, und um Johanni, wenn der Schnee in den *Sudeten* schmolz und Gewitterregen das Wasser verstärkten.« Fontane erzählt vom riesigen Fischreichtum, von ersten Versuchen einer Eindeichung im 16. Jahrhundert und von der großen Regulierung in der Mitte des 18. Jahrhunderts unter Friedrich II. Das Bett der Oder wurde verändert, Dämme gezogen und ein Kanalsystem eingerichtet. Nach der Urbarmachung folgte die Kolonisierung. »1300 Kolonisten-Familien sollten angesetzt werden. [...] Aber wo die Menschen hernehmen? Das war nichts Leichtes. Eine eigne ›Kommission zur Herbeischaffung von Colonisten‹ wurde gegründet und diese Kommission ließ durch alle preußischen Gesandten ›fleißige und arbeitssame Arbeiter‹ zum Eintritt in die preußischen Staaten einladen. Diese Einladungen hatten in der Tat Erfolg; an Versprechungen wird es nicht gefehlt haben. So kamen Pfälzer, Schwaben, Polen, Franken, Westfalen, Voigtländer, Mecklenburger, Östreicher und Böhmen.« Nach der Trockenlegung folgte die Rodung, und es zeigte sich, daß der Boden »schönes, fettes Erdreich, mit vielem Humus, der sich seit Jahrhunderten aus dem Schlamme der Oder und aus der Verwesung vegetabilischer Substanzen erzeugt hat.« Dieser Boden schuf Reichtum, der aber nicht nur Segen brachte. »Man war eben nur *reich* geworden; Bildung, Gesittung hatten nicht Schritt gehalten mit dem rasch wachsenden Vermögen.« Doch das änderte sich dann grundlegend im Verlauf des 19. Jahrhunderts »Wer hier um die Pfingstzeit seines Weges kam, wenn die Rapsfelder in Blüte standen und ihr Gold und ihren Duft über das Bruchland ausstreuten, der mußte sich, weit aus der Mark fort, in ferne, beglücktere Reichtumländer versetzt fühlen. Die Triebkraft des jungfräulichen Bodens berührte hier das Herz mit einer dankgestimmten Freude, wie sie die Patriarchen empfinden mochten, wenn sie inmitten menschenleerer Gegenden, den gottgeschenkten Segen ihres Hauses und ihrer Herden zählten. Denn nur da, wo die Hand des Menschen in harter, nie rastender Arbeit der ärmlichen Scholle ein paar ärmlicher Halme abgewinnt, kann die Vorstellung platz greifen, daß *er* es sei, der diesen armen Segen geschaffen habe; wo aber die Erde hundertfältige Frucht treibt und aus jedem eingestreuten Korn einen Reichtum schafft, da fühlt sich das Menschenherz der Gnade Gottes unmittelbar gegenüber und begibt sich aller Selbstgenügsamkeit. Es war an diesem westlichen Höhenrande des Bruches, daß der große König, über die goldenen Felder hinblickend, die Worte sprach: ›Hier habe ich in Frieden eine Provinz gewonnen.‹«

Möglin

Auf der Strecke von Strausberg nach Wriezen liegt nach etwa zwei Drittel des Weges Möglin. Dieser Ort, »auch äußerlich genommen, ist, wenn man den Ausdruck gestatten will, *›nur Thaer‹*, und in diesem Umstande liegt sein Reiz und seine Eigentümlichkeit. Im Übrigen wirkt das ganze Dorf fast wie eine *Überraschung*. Etwas in der Tiefe gelegen und durch keinen Kirchturm in die Weite verraten, tritt man plötzlich, unter alten Bäumen hindurch, wie in ein Camp, eine Niederlassung ein, und hat hier malerisch gruppiert alles zusammen, was zur Bedeutung und zur Poesie des Ortes gehört.«

Möglin gehörte jahrhundertelang der märkischen Familie von Barfuß, berühmt wurde es erst durch Albrecht Thaer (1752-1828), den Begründer der Agrarwissenschaft. Thaer, in Celle gebürtig, Mediziner und Chirurg, begann sich erst spät mit Gartenbau und Landwirtschaft zu beschäftigen. »Es lag ihm zunächst daran, seiner Umgebung augenscheinlich darzutun, daß es einen Ackerbau gebe, der vollkommener und ergiebiger sei, als der, welchen man im Celleschen Felde betreibe. Er wollte durch sein eignes Beispiel zeigen, wie man den Ackerbau, mit höchstem Unrecht, nur als ein Handwerk, ja oft noch geringer ansehe, in der Meinung, daß weniger Kunst dazu gehöre, einen Acker zu bestellen, als einen Schuh zu machen.«

Er gründete in Möglin eine landwirtschaftliche Lehranstalt, untersuchte mit chemischen Verfahren die Tragfähigkeit der Böden und propagierte die ›Fruchtfolge‹. Fontane widmete der Biographie Thaers im Band *Oderland* viele Seiten. Schon zuvor hatte er einmal ein Lebensbild Thaers, anläßlich der Einweihung seines Denkmals von Christian Rauch, in einem großformatigen Buch mit Abbildungen in Holzschnitt verfaßt.

Teile des ehemaligen Anstaltsgebäudes sind heute noch vorhanden, neben der kleinen Kirche aus Feld- und Backsteinen liegt das Grab Albrecht Thaers.

Kunersdorf

Kunersdorf, zu Fontanes Zeiten Cunersdorf geschrieben, ist »ohne seinem eignen Ruhme zu nahe treten zu wollen, nicht zu verwechseln mit dem berühmten *Schlachten-Kunersdorf* [...] das, weiter östlich, eine halbe Meile jenseits Frankfurt gelegen ist, während *unser* Kunersdorf diesseits der Oder, zwischen Wriezen und Seelow liegt«.

»... in den Tagen, die dem Siebenjährigen Kriege unmittelbar folgten, lebten die Lestwitz und Prittwitz freundnachbarlich beieinander; Prittwitz, der bei Kunersdorf den König, Lestwitz, der bei Torgau das Vaterland gerettet hatte. Oder wie es damals in einem Kurrentausdruck des wenigstens sprachlich französierten Hofes hieß: ›Prittwitz a sauvé le roi, Lestwitz a sauvé l'état.‹«

Friedrich II. hatte dem Major von Prittwitz Quilitz geschenkt und Hans Georg von Lestwitz Friedland überschrieben. Lestwitz, da er nicht sicher war, daß die Überschreibung auch für seine Erben gelten würde, erwarb das Barfussche Kunersdorf dazu und vererbte beide Güter seiner Tochter Helene Charlotte (1754-1803), der berühmten ›Frau von Friedland‹. Früh und unglücklich verheiratet, wurde sie nach der Geburt einer Tochter geschieden und lebte danach ganz der Verwaltung ihrer Güter. Die Schilderungen dieser Frau durch Marwitz und Thaer »deuten bereits den Punkt an, worin Frau *von Friedland* ganz besonders hervorragte; ich meine ihr Organisations- und Erziehungstalent, ihre Gabe, Leute aus dem Bauernstande zu treuen und tüchtigen Verwaltern, Förstern und Jägern heranzubilden. Sie zeigte dabei eben so viel Menschenkenntnis, wie sie zugleich ihrerseits Gelegenheit fand, sich von der Bildungsfähigkeit der

HENRIETTE
CHARLOTTE GRAEFIN von ITZENPLITZ
von BORCKE, genant von FRIEDLAND,
geboren
zu Potsdam 7. Juli 1772,
vermählt
gestorben
zu Berlin

hier lebenden deutsch-wendischen Mischrasse zu überzeugen.«

Sie machte Kunersdorf auch zu einem Treffpunkt der »›Berliner Savants‹ [...] Die Epoche der geistreichen Cirkel, die später in der Prinz *Louis Ferdinand*-Zeit ihren Höhepunkt erreichte, war eben angebrochen; Geburt war nicht viel, oder *sollte* nicht viel sein; Talent war Alles. Dieser damals herrschenden Anschauung neigte man sich auch in Schloß Kunersdorf zu; [...] Vertreter historisch berühmter Namen galten wenig, wenn sie nicht ihres Teils gewirkt und geschafft und das ererbte Pfund durch eigene Kraft gemehrt hatten. Der Tod der Frau *von Friedland* änderte hierin nichts Wesentliches; ihre Tochter, die Gräfin *Itzenplitz*«, trat das Erbe der Mutter an, »und die *Kunst*, deren erstes Dämmern in diesem Lande Frau von *Friedland* nur eben noch erlebt hatte, fand jetzt ein eingehenderes Verständnis, und soweit es die Zeit und die Mittel eines Privathauses überhaupt gestatteten, auch Förderung und Pflege.«

Die Bildhauer Christian Rauch, Friedrich Tieck, Wach, Schadow und Weitsch trafen sich in Kunersdorf. »Das Jahr 1813 brachte noch einen anderen Gast nach Schloß Kunersdorf [...] und im Kunersdorfer Bibliothekszimmer war es, wo *Chamisso*, am offenen Fenster und den Blick auf den schönen Park gerichtet, den ›Peter Schlemihl‹, seine bedeutendste und orginellste Arbeit niederschrieb.« Dieser Hinweis auf Adelbert von Chamisso und zahlreiche Zitate aus seinen Gedichten als Motti am Beginn der Kapitel könnten vielleicht ein diskreter Hinweis sein, daß Fontane das Geheimnis der Geburt von Wilhelm Hertz kannte, der ein illegitimer Sohn Chamissos war. Hertz selbst wußte darum. Es könnte sein, daß er Fontane eingeweiht hat, oder der hatte es durch eine Indiskretion anderer erfahren.

Das Schloß, 1770 errichtet, in einem von Lenné angelegten Park gelegen, ist im Krieg beschädigt und später restlos abgetragen worden. »Vielleicht die größte Sehenswürdigkeit von Schloß Kunersdorf ist die *Begräbnisstätte* für die Familie *Lestwitz-Itzenplitz*. [...] An der Einfassung entlang, aber diese bedeutend überragend, zieht sich, wie ein solider Wandschirm, ein Stück Mauerwerk entlang, dessen Rückseite glatt ist, während die Front (der Begräbnisstätte zugekehrt) eine Anzahl von Nischen zeigt. Einfache Säulen fassen nach links und rechts diese Nischen ein und tragen einen wenig vorspringenden Sims. Zu Füßen jeder Nische liegt ein Grabstein, während in der Nische selbst die Aschenkrüge mit den Reliefbildnissen der Verstorbenen oder sonstige Mementos stehen.« Diese Kolonnade wurde wahrscheinlich von Carl Gotthard Langhans entworfen und steht noch heute im Park von Kunersdorf.

Der Blumental

Der ›Blumental‹, d. h. der Blumental-*Wald*, ist der Name eines großen Forstreviers, das den Hohen-Barnim von Westen nach Osten hin durchzieht und durch die von Berlin nach Wriezen führende Straße fast seiner ganzen Länge nach durchschnitten wird. [...] Und ein *schöner* Wald ist der ›Blumental‹. Die vielen Seen, die ihn durchschneiden, geben, auch wo sie nicht sichtbar werden, seinem Laub eine duftige Frische und ein Blühen ist ringsum, als woll' es der Wald immer wieder beweisen: ich bin ›*der Blumental*!‹« Früher stand hier eine Stadt, die langsam verfiel und zur ›Wüstung‹ wurde. Pflanzen und Bäume drangen vor. »So vergingen Jahrhunderte. Die Eichen wurden immer höher, das Gestrüpp immer dichter, – die ›alte Stadt‹ schien verschwunden. Nur um die Winterzeit, wenn Alles kahl stand, wurde das Mauerwerk sichtbar. Aber niemand war, der dessen geachtet hätte.« Später wurde das Land gerodet und bebaut. »Die Natur wuchs hier einst wild in eine Stätte der Kultur hinein und wucherte darin; nun hat eine andere Kultur den Wald gefällt und breitet ihre Saaten darin aus. Städtisches Leben von ehemals und Ackerbau von heut reichen sich über einem vierhundertjährigen Wald-Interregnum die Hand.«

Friedland

Friedland [heute Altfriedland] war in alten Zeiten ein Nonnenkloster des Zisterzienser-Ordens.« Das Gründungsdatum, etwa 1230, ist nicht genau überliefert. Das Kloster bestand bis 1540, »wo die Säkularisation erfolgte. Man zog die Klostergüter ein, respektierte jedoch die Personen, d. h. beließ die Nonnen spittelfrauenhaft in ihren Zellen und wartete ihr Aussterben ab. Dies Aussterben ließ aber lange auf sich warten. Die Luft um Friedland herum war sehr gesund. Kloster Friedland ging inzwischen gleich innerhalb der ersten zwei Dezennien aus einer Hand in die andere, wobei die Nonnen, wie ein altes Inventarium, immer mit überliefert wurden.« Nach dem Siebenjährigen Krieg schenkte der König, wie schon bei Kunersdorf erwähnt, Friedland dem Major von Lestwitz für seinen Einsatz bei Torgau.

Zu Fontanes Zeiten war das Kloster noch einigermaßen erhalten, »und die Umfassungsmauer, das Haus des Propstes, ein Stück Kreuzgang, vor allem das Refektorium, zeigen sich teilweise noch in gutem Zustand«. Heute ist fast alles überwachsen und unzugänglich, doch die Denkmalpflege will vieles, vor allem das Refektorium, wieder instandsetzen. Die ursprünglich barocke Dorfkirche wurde mehrfach umgebaut, zuletzt 1936 bis 1938.

Neu-Hardenberg

Südlich von Bad Freienwalde liegt Wriezen und noch weiter südlich, fast auf der Höhe von Letschin, liegt Neu-Hardenberg, das bis Beginn des 19. Jahrhunderts Quilitz hieß. Der König hatte es der Familie Prittwitz geschenkt, die nur einen bescheidenen Schloßbau vornahm, da Friedrich II. bei einem Besuch sich etwas moquant äußerte: »Prittwitz, Er baut ja ein *Schloß*; Er will ja hoch hinaus.« Auch einen Park legte die Familie an, in dem sie ein Denkmal des großen Königs nach einer Zeichnung von Johann Meil errichten ließ. »Die Komposition ist etwas steif, etwas herkömmlich und in vielen Stücken angreifbar, aber dennoch eine gute Durchschnitts-Arbeit. Ein Säulenstumpf trägt das Reliefbild des großen Königs; ein trauernder Mars, knieend, umklammert von der einen Seite her die abgebrochene Säule, während sich eine aufrecht stehende Minerva von der andern Seite her an den Säulenstumpf lehnt. Das Hauptinteresse, das diese Gruppe einflößt, ist das, daß es das *erste Denkmal* ist, das dem Andenken des großen Königs errichtet wurde. Allerhand kleine Anekdoten knüpfen noch an dieses Denkmal an. [...] Am Anziehendsten ist die einfache Auslegung, die die Quilitzer den Gestalten des Mars und der Minerva gegeben haben. Sie sagen, ›es sei Prittwitz und seine Frau, die um den alten Fritz trauern‹.«

1801 brannte der Ort fast gänzlich ab und wurde bis 1803 von dem damals erst zwanzigjährigen Carl Friedrich Schinkel neu angelegt, der mit einigen Wirtschaftsgebäuden begann. »Diese Wirtschaftsgebäude machen etwa den Eindruck, wie wenn ein junger Poet einen wohlstilisierten und bilderreichen Brief an seine Wirtsfrau oder deren Tochter schreibt. Der Stil, die Sprache, sind an und für sich tadellos, nur die Gelegenheit für den poetischen Ausdruck ist schlecht gewählt; Gemeinplätze wären besser [...] Indessen, wie jugendlich immer, ex ungue leonem.« Quilitz kam 1810, nach dem Tod des letzten Prittwitz, an die Krone zurück, und Friedrich Wilhelm III. schenkte es 1814 dem Staatskanzler Karl August Fürst von Hardenberg, und nach ihm hieß von nun ab der Ort Neu-Hardenberg. Schinkel wurde beauftragt, das bisher bescheidene Schloß zu einem Palais umzubauen. Der Bau wurde um ein Geschoß erhöht und die Fassade klassizistisch neu gestaltet.

Am 31. Mai 1816 feierte der Fürst seinen 70. Geburtstag, unter den Gratulanten war »freilich brieflich nur, auch *Goethe*«.

Den Park gestaltete der Schwiegersohn Hardenbergs, Fürst Pückler, auch Lenné hatte Pläne geliefert. »Unser letzter Besuch gilt der Kirche. Sie wurde [...] in den Jahren 1816 und 1817 durch Schinkel restauriert und im Oktober 1817 eingeweiht. Schinkel ließ von dem alten Bau wohl nur die Umfassungsmauern stehen; der Turm-Aufsatz, das Mausoleum und das Innere der Kirche selbst sind sein Werk. [...] Das Innere der Kirche, – an den Berliner Dom erinnernd und in der Tat um dieselbe Zeit aufgeführt (1817) in der Schinkel die Restaurierung des Domes leitete, – ist hell, geräumig, lichtvoll, ein wenig nüchtern. Das Ganze mehr ein Betsaal, als ein Kirchenschiff.«

Den Fürsten beurteilte Fontane zwiespältig. »Aber diese Mischung von Edlem und minder Edlem, von Schlauheit und Offenheit, von Nachgiebigkeit und Festigkeit, war genau *das*, was die Situation erheischte. Eigensinn und Prinzipienreiterei hätten uns verdorben. Sein Leben, Vorbild oder nicht, hat uns gerettet. Wie er selber in Bescheidenheit hinzusetzen würde ›durch *die Gnade Gottes*‹.«

1949 wurde Neu-Hardenberg in Marxwalde umbenannt, doch seit 1990 trägt der Ort wieder seinen alten Namen. Kirche und Schloß sind restauriert und können besucht werden. Einige der von Schinkel erbauten Wirtschaftsgebäude werden wieder in ihrer alten Form errichtet.

Buckow

Buckow hat einen guten Klang hierlands, ähnlich wie Freienwalde, und bei bloßer Nennung des Namens steigen freundliche Landschaftsbilder auf: Berg und See, Tannenabhänge und Laubholzschluchten, Quellen, die über Kiesel plätschern und Birken, die vom Winde halb entwurzelt, ihre langen Zweige bis in den Waldbach niedertauchen. [...] Buckow liegt in einem Kesseltale, dessen Sohle von einem großen See gebildet wird. Dieser See hat die Form eines abgestumpften Halbmonds, ist also bohnen- oder nierenförmig und heißt der *Schermützel-See* [... nicht zu verwechseln mit dem etwa 30 km südlich gelegenen *Scharmützel-See*]. An der konkaven Seite des Sees, ziemlich genau an der Stelle, wo sich das hüglige Erdreich in den See hineinbuchtet, liegt die Stadt, von der aus sich in kürzester Zeit und mit leichtester Mühe die verschiedensten Ausflüge in die Umgegend ermöglichen.«

Heute ist Buckow ein gernbesuchtes Ausflugsziel mit Bootsfahrten, mit Badestränden und Wanderwegen, die auf leichte Höhen führen. »Wir nehmen nun unsern Stand und haben vielleicht das schönste Landschaftsbild vor uns, das die ›märkische Schweiz‹ oder doch der ›Kanton Buckow‹ aufzuweisen vermag. Links und rechts, in gleicher Höhe mit uns, die Raps- und Saatfelder des Plateaus, unmittelbar unter uns der blaue, leis gekräuselte Schermützel-See, drüben am andern Ufer, in den Schluchten verschwindend und wieder zum Vorschein kommend, die Stadt und endlich hinter derselben eine bis bis hoch hinauf mit jungen frischgrünen Kiefern und dunklen Schwarztannen besetzte Berglehne.«

Dicht benachbart sind: »der kleine und der große Tornow-See und die Schlucht heißt die ›*Silberkehle*‹. Jene blicken zu dem Berge hinauf, der seinerseits terassenförmig ansteigt. Am Fuße der Treppe breitet sich der *große* Tornow aus, auf dem mittleren Absatz aber liegt der *kleine* Tornow, dunkel und still und in verschwiegener Tiefe.«

Gusow

Eine Nachtfahrt hat uns an Rüdersdorf und Müncheberg vorbei bis in das Städtchen Seelow geführt. Wir gönnen uns eine Stunde Rast und fahren nun in nördlicher Richtung, bei Morgenlicht und Lerchenjubel in das tief vor uns gelegene Bruch hinein. [...] Die Pappelalle geleitet uns bergab und macht erst am Fuße des Hügel einem breiten Kastanienwege Platz, der uns bis an den Eingang des Dorfes führt. Dieses Dorf ist *Gusow*, eins der größten und vornehmsten jener alten Wendendörfer, die, lange vor der Urbarmachung, die sumpfige Niederung des Bruches in weitem Zirkel umspannten.«

Mitte des 17. Jahrhunderts erwarb Georg von Derfflinger, der wohl bekannteste und berühmteste Reiterführer seiner Zeit, Gusow. Nach einem turbulentem Leben – 1606 in Österreich geboren, des protestantischen Glaubens wegen mit den Eltern nach Böhmen ausgewandert – wurde er zunächst Schneidergeselle, ging zu den Soldaten, kämpfte in schwedischen, später brandenburgischen Diensten, war bei Fehrbellin, stieg bis zum Feldmarschall auf und starb im Februar 1695 in Gusow, wo er begraben liegt.

Es haben alle Stände
So ihren Degenwert,
Und selbst in Schneiderhände
Kam einst das Heldenschwert.

Und »alles in Gusow, oder doch alles Beste, was es hat, erinnert an den alten Derfflinger: Schloß, Park, Kirche. Das *Schloß*, architektonisch weder schön noch eigentümlich, besteht aus einem Corps de Logis und zwei langen, rechtwinklig vorspringenden Flügeln, die nun einen Schloßhof bilden. Ein breiter Graben umgibt den Bau nach allen vier Seiten hin, der, mit Hilfe dieser Wasser-Einfassung, wie auf einer künstlichen Insel liegt.«

In *Vor dem Sturm* spielt Gusow, das dort den Namen Guse trägt, eine zentrale Rolle. In Guse residiert die Schwester des Bernd von Vitzewitz, Tante Amély, die Fontane nach zwei Damen des Prinz Heinrichschen Hofes in Rheinsberg zeichnete, nach der Gräfin de la Roche-Aymon, die auch Amalie hieß, und nach der Frau von Arnstedt, der ›Krautentochter‹. Tante Amély hatte einen Kreis um sich versammelt, den Fontane, den Rheinsberger Hof ironisierend, nach Vorbildern der Prinz Heinrich-Zeit zeichnete.

Friedersdorf

In der Nähe von Gusow liegt *Friedersdorf*, seit Ende des siebzehnten Jahrhunderts im Besitze der Familie von der Marwitz. Vom Städtchen Seelow aus erreicht man es in einer Viertelstunde. Die Landschaft ist reizlos, im Wesentlichen auch das Dorf. [...] Das Friedersdorfer Herrenhaus ist so recht das, was unsere Phantasie sich auszumalen liebt, wenn wir von ›alten Schlössern‹ hören. Die Frage nach dem Maß der Schönheit wird gar nicht laut; alles ist charaktervoll und pittoresk, und das genügt.« Im Frühjahr 1860, nach einer seiner ersten Fahrten ins Oderland, erzählte Fontane seiner Mutter: »In Gusow und Friedersdorff fand ich sehr interessante Ausbeute, besonders in letzterem Dorf. Die Friedersdorffer Kirche ist geradezu der Sansparail unter allen Dorfkirchen die ich bis jetzt gesehen habe, nicht an Schönheit aber an historischem Interesse.« Mit Resten ihrer Ausstattung ist diese Dorfkirche erhalten geblieben, das aus dem 17. Jahrhundert stammende Schloß aber wurde nach 1945 gesprengt.

Friedersdorf gehörte zunächst dem Generallieutnant Joachim Ernst von Görtzke, dem ›Paladin des Großen Kurfürsten‹, wie er genannt wurde. Seine älteste Tochter heiratete den Hofmarschall von der Marwitz, seitdem »gehört den Marwitzen das Feld«, und im Verlauf der Jahrhunderte lebten in Friedersdorf viele, die diesen Namen trugen. So im 17. Jahrhundert der »*Hubertusburg*-Marwitz (Johann Friedrich Adolf)«. 1723 geboren, trat er in das Regiment Gensdarmes und stieg von Stufe zu Stufe. Auf Befehl Friedrichs II. sollte er 1760 »Schloß *Hubertusburg* – dasselbe, das durch den Friedensschluß berühmt wurde«, zerstören, er weigerte sich und fiel in Ungnade. 1781 starb er, in der Friedersdorfer Kirche kündet sein Grabstein: »Johann Friedrich Adolf. Er sah Friedrichs Heldenzeit und kämpfte mit ihm in all seinen Kriegen. *Wählte Ungnade, wo Gehorsam nicht Ehre brachte.*« Zwei Generationen danach folgten ihm die Brüder August Ludwig und Alexander von der Marwitz.

Friedrich August Ludwig von der Marwitz, 1777 in Berlin geboren, trat mit dreizehn Jahren in das Regiment Gensdarmes und nahm 1802 seinen Abschied. Ein Jahr darauf verheiratete er sich, aber schon nach Jahresfrist starb seine Frau, auf ihren Grabstein schrieb er: ›Hier ruht mein Glück‹. Es sind die gleichen Worte, die der Stein der Frau des Bernd von Vitzewitz in *Vor dem Sturm* trägt, auch er mußte sie früh zur letzten Ruhe geleiten. Noch heute findet sich bei den verwitterten Resten der Marwitzschen Grabstelle dieser Stein. Ludwig hatte Kontakte zum Kreis der Frau von Friedland und übernahm von Albrecht Thaer moderne Methoden der Agrarwirtschaft. Dann kam »der Winter 12 auf 13. Die französische Armee war vernichtet [...] Die berühmte Kapitulation von Tauroggen war geschlossen; Alexander von der Marwitz, der [um zehn Jahre] jüngere Bruder, der damals in Potsdam lebte, brachte die Nachricht in fliegender Eile nach Friedersdorf.« Beide Brüder waren sich einig, jetzt mußte gehandelt werden, und der König mußte die Volkserhebung aufrufen. Als der König ablehnte, rief Marwitz die Landwehr in der Umgebung von Friedersdorf in eigener Verantwortung zum Kampf auf. Alexander, mit Rahel Lewin und dem Prinzen Louis Ferdinand befreundet, unterstützte ihn. Im Lebensgang der beiden Brüder fand Fontane, ähnlich wie Willibald Alexis in seinem *Isegrimm*, die Charakterzüge für Bernd von Vitzewitz und dessen Sohn Lewin und in den Menschen und der Landschaft des Oderbruchs alles, was er in *Vor dem Sturm* gestaltete. »Ohne Mord und Brand und große Leidenschaftsgeschichten, hab ich mir einfach vorgesetzt eine große Anzahl märkischer (d. h. *deutsch-wendischer*, denn hierin liegt ihre Eigentümlichkeit) Figuren aus dem Winter 12 auf 13 vorzuführen, Figuren wie sie sich damals fanden und im Wesentlichen auch noch jetzt finden. Es war mir nicht um Konflikte zu tun, sondern um Schilderung davon, wie das große Fühlen das damals geboren wurde, die verschiedenartigsten Menschen vorfand und wie es auf sie wirkte.«

Das alles geschah in der Landschaft ›diesseits der Oder‹, aber im Band *Oderland* erzählte Fontane auch von den ›jenseits der Oder‹ gelegenen Küstrin, Tamsel und Zorndorf, die heute polnisch sind, aber gut erreicht werden können.

Küstrin

An der großen Heerstraße zwischen Ost und West [...] liegt die alte Oderfestung *Küstrin* [heute Kostrzyn]. Seine Geschichte, in Gutem und Bösem, zählt zu den interessantesten Städtegeschichten der Mark. Es sah viele Dinge geschehen [...] vor allem aber ist der Name Küstrins mit der Jugendgeschichte Friedrichs II. für immer verwoben und dadurch überall ein bekannter Klang geworden ...«

Küstrin war jahrhundertelang Festung mit Schanzen und Forts, deren berühmteste die ›Bastion Brandenburg‹ war. Hier spielte der Höhepunkt der ›Katte-Tragödie‹. Der 1704 geborene Hans Hermann von Katte stand 1729 beim Regiment Gensdarmes in Berlin und geriet in den Kreis um den um acht Jahre jüngeren Kronprinz Friedrich (*1712). Er unterstützte dessen Fluchtpläne, beide wurden gefaßt, der Kronprinz wurde zur Festungshaft auf Bastion Brandenburg in Küstrin verurteilt, Katte zum Tod durch das Schwert. Das Urteil mußte in Küstrin vor den Augen des Kronprinzen vollzogen werden. Und dieser Tag wiegt schwerer »als die Gesamtsumme dessen, was vorher und nachher an dieser Stelle geschah, und mag als das Gegenstück zu dem 18. Juni 1675 gelten, zu dem ›Tage von *Fehrbellin*‹. Mit diesen beiden Tagen, dem heiteren 18. Juni und dem finsteren 6. November, beginnt unsere Großgeschichte. Aber der 6. November ist der größere Tag, denn er veranschaulicht in erschütternder Weise jene *moralische Kraft*, aus der dieses Land, dieses gleich sehr zu hassende und zu liebende Preußen, erwuchs.«

Die Familie erbat vom König den Leichnam und durfte ihn von Küstrin nach Wust bei Jerichow, dem Sitz der Familie, zwischen Tangermünde und Rathenow gelegen, überführen und in der Familiengruft zur letzten Ruhe betten. 1867 besuchte Fontane Wust und das Herrenhaus der Kattes, ein nüchterner Bau von 1726, der noch gut erhalten ist.

Bunte Bilder in raschem Lauf
Steigen wechselnd vor mir auf:
Wust, der alte Kattesitz,
Im Sarge der Freund von Kronprinz Fritz.

In der Festung Küstrin wurde auch Alexander von der Marwitz gefangengehalten, und in der ›Bastion Brandenburg‹ muß Lewin von Vitzewitz in *Vor dem Sturm* auf seine Befreiung warten.

Tamsel

Tamsel ist ein reiches, schön gelegenes Dorf, etwa eine Wegstunde nordöstlich von Küstrin. Waldhügel, deren gewundene Linien mutmaßlich das alte Bett der Warthe bezeichnen, schließen es von Norden her ein, während nach Süden hin die Landschaft offen liegt und die Flußarme in allerlei Windungen sich durch das Bruchland ziehen.« Tamsel gehörte der Luise Eleonore, der Tochter des letzte Schöning. Sie »war mit vier Jahren die Erbin von Tamsel und mit sechszehn Jahren die Gemahlin des Obersten Adam Friedrich v. *Wreech*. Sie war acht Jahre mit diesem vermählt, also vierundzwanzig Jahre alt, als der damals neunzehnjährige *Kronprinz Friedrich*, mutmaßlich in den letzten Tagen des August 1731 (bis dahin hatte er die Festung Küstrin nicht verlassen dürfen) seinen ersten Besuch in Tamsel machte. Es ist bekannt, daß der Prinz diesem ersten Besuche andere folgen ließ und alsbald in Beziehungen zu der schönen Frau v. Wreech trat, die bis in die letzten Tage seines Küstriner Aufenthaltes hinein, also bis Ende Februar 1732, fortgesetzt wurden.« Über diese Besuche und die etwaigen Beziehungen ist viel gerätselt und geschrieben worden. Fontane konnte zahlreiche Briefe des Kronprinzen und der Frau von Wreech einsehen, die bis dahin unbekannt geblieben waren. »Die Jahre gingen, andere Zeiten kamen. Das Verhältnis, das einen Winter lang so viel Trost und Freude gewährt hatte, schien tot und erst 26 Jahre später sehen wir den Kronprinzen, nun *König* Friedrich, abermals in Tamsel.« Es ist 1758, nach der Schlacht von Zorndorf. »Das Schloß ist von den Russen ausgeplündert, alle Bewohner sind geflohen, [...] alles ist wüst, öde, halb verbrannt und nur mit Mühe konnt' ein Tisch für den König herbeigeschafft werden.« Frau von Wreech bat um Unterstützung, der König versuchte zu helfen, aber die Hilfe konnte nur gering sein. Frau von Wreech fühlte sich verletzt. Beim Wiederaufbau von Tamsel füllte sich der Park mit Statuen und Tafeln, die aber nur vom Ruhme des Prinzen Heinrich erzählten. »Kein Stein, keine Tafel trug damals den Namen König Friedrichs. *Hier*, wo er glücklich gewesen war und vielleicht auch glücklich gemacht hatte, sollte sein Name vergessen sein.« Aber 1840, am hundertsten Jahrestag der Thronbesteigung Friedrichs II., wurde ein Denkmal des Königs enthüllt, »ein Denkstein von 30 Fuß Höhe. Auf der Spitze desselben erhebt sich eine vergoldete *Victoria*, während der Sockel die Inschrift trägt: Es ist ein köstlich Ding einem Manne, daß er das Joch in seiner Jugend trage. [...] Ein alter Bauer, als er die Hüllen fallen sah, rief seinem Nachbar zu: ›Ick dacht, et süll de olle Fritz sinn, un nu is et sine Fruh.‹«

Park und Schloß sind im wesentlichen erhalten, nur die Statuen und Denkmäler wurden zerstört oder entfernt.

Spreeland

Spreewald

Über vierhundert Kilometer lang ist die Spree, die im Lausitzer Bergland entspringt, und damit der größte Zufluß der Havel ist. Von der Lausitz fließt sie bis Cottbus, spaltet sich dann in eine Vielzahl von Armen, den Spreewald, durchquert den Schwieloch- und Müggelsee und mündet schließlich bei Spandau, im Westen Berlins, in die Havel.

Die erste größere Wanderung mit Freunden machte Fontane im Sommer 1859 in den Spreewald. »Mit Tagesanbruch haben wir Lübben, die letzte Station erreicht und fahren nunmehr am Rande des hier beginnenden *Spreewaldes* hin, der sich anscheinend endlos, und nach Art einer mit Heuschobern und Erlen bestandenen Wiese, zur Linken unseres Weges dehnt. Ein vom Frühlicht umglühter Kirchturm wird sichtbar und spielt eine Weile Versteckens mit uns; aber nun haben wir ihn wirklich und fahren durch einen hochgewölbten Torweg in *Lübbenau* ›die Spreewald-Hauptstadt‹ ein.«

Weiter ging die Fahrt bis nach Lehde. »Gleich die erste halbe Meile ist ein landschaftliches Kabinettstück und wird insoweit durch nichts Folgendes übertroffen, als es die Besonderheit des Spreewaldes: seinen Netz- und Inselcharakter, am deutlichsten zeigt. Dieser Netz- und Inselcharakter ist freilich *überall* vorhanden, aber er verbirgt sich vielfach, und nur Derjenige, der in einem Luftballon über das vieldurchschnittene Terrain hinwegflöge, würde die zu Maschen geschlungenen Flußfäden allerorten in ähnlicher Deutlichkeit wie zwischen Lübbenau und Lehde zu seinen Füßen sehen. [...] Es ist die Lagunenstadt in Taschenformat, ein Venedig, wie es vor 1500 Jahren gewesen sein mag [...] Man kann nichts Lieblicheres sehn als dieses Lehde, das aus eben so vielen Inseln besteht, als es Häuser hat. Die Spree bildet die große Dorfstraße, darin schmalere Gassen von links und rechts her einmünden. Wo sonst Heckenzäune sich ziehn, um die Grenzen eines Grundstückes zu markieren, ziehen sich hier vielgestaltige Kanäle, die Höfe selbst aber sind in ihrer Grundanlage meistens gleich. Dicht an der Spreestraße steht das Wohnhaus, ziemlich nahe daran die Stallgebäude, während klafterweis aufgeschichtetes Erlenholz als schützender Kreis um das Inselchen herläuft. Obstbäume und Düngerhaufen, Blumenbeete und Fischkasten teilen sich im Übrigen in das Terrain und geben eine Fülle reizender Bilder.«

Seiner Frau gestand er die finanziellen Schwierigkeiten dieser Fahrten. »Der Spreewald hat 10 Rthl. gekostet und 21 Rhtl. eingebracht, geschäftlich genommen also ein ziemlich trauriges business, denn 8 Tage Zeit waren nötig um die 4 Kapitel zu schreiben.«

Beeskow-Storkow

In die Fürstenwalder Kirche. Um 10 Uhr Abfahrt ins Land Beeskow-Storkow; erst nach Rauen, dann über Markgrafensteine, ›Schöne Aussicht‹, Saarow, Pieskow nach Groß-Rietz«, steht im Tagebuch vom 8. und 9. April 1881. »Um 7 1/2 von dort zurück, um 10 wieder in Fürstenwalde. Bis Mitternacht geplaudert – Spaziergang durch Fürstenwalde; Markttreiben. Um 10 ab; um 12 wieder daheim.«

Die Fahrt ging am ›Scharmützel-See‹ entlang, den Fontane, wie damals üblich, ›Schermützel-See‹ nennt, dann weiter über Pieskow bis Groß-Rietz. Nach dem 30jährigen Krieg gehörten Ort und Gut der Familie von der Marwitz, die um 1700 ein Schloß erbauten. Ende des 18. Jahrhunderts kaufte der Minister Johann Christoph Woellner das Schloß und lebte dort zusammen mit seiner Frau, einer geborenen von Itzenplitz. Beginn des 19. Jahrhunderts ging der Besitz wieder an die Familie von der Marwitz zurück, die in Groß-Rietz bis 1945 lebte. Das Schloß, heute als Wohnung und Kindergarten genutzt, ist verfallen, und die einst kostbare Inneneinrichtung nicht mehr vorhanden.

Auf der Wendischen Spree

Im Sommer 1874 konnte Fontane an Bord einer komfortablen Segelyacht eine Fahrt von Köpenick nach Teupitz machen. »An der Brücke von Köpenick treffen zwei Flüsse beinahe rechtwinklig zusammen: die *eigentliche* Spree und die *wendische* Spree, letztere auch ›die Dahme‹ geheißen. Die wendische Spree, mehr noch als die eigentliche, bildet eine große Anzahl prächtiger Seeflächen, die durch einen dünnen Wasserfaden verbunden sind. Ein Befahren dieses Flusses bewegt sich also in Gegensätzen, und während eben noch haff-artige Breiten passiert wurden, auf denen eine Seeschlacht geschlagen werden könnte, drängt sich das Boot eine Viertelstunde später durch so schmale Defilés, daß die Ruderstangen nach rechts und links hin die Ufer berühren. Und wie die Breite, so wechselt auch die Tiefe. An einer Stelle Erdtrichter und Krater, wo die Leine des Senkbleis den Dienst versagt, und gleich daneben Pfuhle und Tümpel, wo auch das flachgehendste Boot durch den Sumpfgrund fährt. So die Wasserstraße.«

Die Fahrt, in Köpenick beginnend, ging über Grünau und den Langen See bei Schmöckwitz hinaus in den Seddiner See,

danach weiter bis Zeuthen, Königswusterhausen und endete bei Teupitz. Die ›Sphynx‹, so hieß die Segelyacht, gehörte zu einem der vornehmen Segelclubs, deren Boote zu jener Zeit zwischen Treptow und dem Ausfluglokal ›Eierhäuschen‹ vor Anker lagen. Schon damals waren Teile der Ufer der ›Wendischen Spree‹ bebaut und gehörten zu den bevorzugten Ausflugzielen.

Die Gegend gefiel Fontane, in vielen seiner Erzählungen und Romane taucht sie auf. Leopold Treibel, *Jenny Treibels* jüngster Sohn, reitet fast täglich morgens am Spreeufer entlang bis über das Schlesische Tor hinaus, in *Nach der Sommerfrische* werden Stralau, Treptow und das Eierhäuschen als Ausflugsziele vorgeschlagen, und in *Der Stechlin* wird eine Nachmittagsfahrt mit dem Dampfer bis zum Eierhäuschen geschildert: »Das Eierhäuschen ist ein sogenanntes ›Lokal‹, und wenn uns die Lust anwandelt, so können wir da tanzen oder eine Volksversammlung abhalten. Raum genug ist da. [...] der rote Bau da, der zwischen den Pappelweiden mit Turm und Erker sichtbar wird, das ist das Eierhäuschen.« Das Gasthaus ›Zum Eierhäuschen‹ enstand in den dreißiger Jahren des 19. Jahrhunderts und wurde um 1900 vergrößert und erweitert. Später verfiel es, wurde aber 1973 zum Teil wieder hergestellt, heute kann man eine private ›Stechlin-Partie‹ dorthin machen.

Besonders angetan war Fontane von ›Hankels Ablage‹. Wir »fuhren nun, unseren Kurs wechselnd, auf die Südspitze des Zeuthener Sees zu. Auch hier noch ist der Segelclub zu Haus, dessen anwesende Mitglieder nicht ermangelten, mir ›Hankel's Ablage‹, ›Hache's Gruß‹, den ›Gingang-Berg‹ und ähnlich wunderlich benannte Punkte vorzustellen. [...] Die Ufer, still und einförmig. Nur dann und wann ein Gehöft, das sein Strohdach unter Eichen versteckt. [...] In einer alten Chronik heißt es: ›Der 30jährige Krieg kam nicht hierher, weil ihm die Gegend zu arm und abgelegen war.‹ Er wußte wohl, was er tat.«

Im Frühjahr 1884 machte Fontane zum erstenmal seinen Arbeitsurlaub in ›Hankels Ablage‹. »Zu den reizendsten Plätzen in der Umgegend von Berlin gehört ›Hankels Ablage‹, eine auf einem schmalen Uferstreifen zwischen der Görlitzer Bahn und dem Zeuthener See gelegene Villenkolonie, deren einzige partie honteuse ihr Namen ist: ›Hankels Ablage‹. Jeder vermutet danach einen Müllhaufen mit etwas Nachtschatten oder Stechapfel darauf, und doch ist umgekehrt alles gestriegelt und gebügelt an dieser Stelle.« Es war früher ein Stapel- und Ablageplatz für Spreekähne gewesen, und eine erste Schenkgerechtigkeit wurde einem Manne namens Hankel erteilt, so kam es zum Namen ›Hankels Ablage‹.

»Es ist hier ganz still und so bin ich dann à mon aise. Kommen nicht noch Störungen, was ich nicht fürchte, so erhebe ich Hankels Ablage zu meiner Rückzugs-Linie in Zuständen nervöser Pleite. So ungünstig dies Wetter für mich ist, fühl' ich doch vergleichsweise den Einfluß der schönen, reinen Luft.« Hier war, was er lange gesucht hatte, »ein Platz zu momentanem Ausspannen«. Selbst bei trübem und windigem Wetter war die Aussicht bemerkenswert. Doch schon damals mußte man die frühe Jahreszeit wählen, denn je weiter das Frühjahr fortschritt, um so mehr Ausflügler kamen. »Denn die schönen Tage von Aranjuez sind nun vorüber, mein Prinz; nicht nur beginnt sich das ›Lokal‹ mehr und mehr zu füllen, auch die ›Filla‹ drin ich wohne, ist von der nächsten Woche an ganz besetzt.« Aber für ihn war es die passende Sommerfrische. »Ich war 14 Tage da und habe nie einen beßren Sommer-Aufenthalt gehabt: still, himmlische Luft, Wasser und Wald, ausreichende Verpflegung und freundliche Leute. Was will man mehr!« In ›Hankels Ablage‹ schrieb er die Kapitel von

Irrungen, Wirungen, die am gleichen Ort spielen. Botho und Lene fahren mit der Görlitzer Bahn für ein kurzes Wochenende nach ›Hankels Ablage‹ am Zeuthener See. Hier kann Lene glücklich sein, aber ihr Glück dauert nur einen Tag und eine Nacht. Schon am nächsten Morgen sind die ›schönen Tage‹ vorbei. Bothos Regimentskameraden kommen überraschend mit ihren ›Damen‹, das Idyll ist zerstört.

Im Jahr darauf, im Mai 1885, verbrachte Fontane, zusammen mit seiner Tochter Mete, wieder Tage der Erholung in ›Hankels Ablage‹, am Ende des 19. Jahrhunderts brannte das Gasthaus ab. Heute ist der ehemalige Halt der Görlitzer Bahn nur noch eine überwucherte Stelle. Man kann aber noch die Wege gehen, auf denen Botho und Lene damals spazierten, »bis nach einer diesseitigen Landzunge hin, von der aus sie die roten Dächer eines Nachbardorfes und rechts daneben den spitzen Kirchturm von Königs Wusterhausen erkennen konnten. Am Rande der Landzunge lag ein angetriebener Weidenstamm. Auf diesen setzten sie sich.« Und hier kann man, wieder einmal, *Irrungen, Wirrungen* lesen.

In den sechziger Jahren fuhr bereits ein Dampfschiff von Köpenick aus nach Teupitz, im Sommer 1862 schlug Fontane seiner Frau eine solche Fahrt vor. »Es geht an Stralow, Coepnick, Müggelsbergen, Königs-Wusterhausen etc. vorbei, immer fast auf breiten Seen, Berge rechts und links, so daß es wirklich sehr schön sein muß. Kein Mensch ahnt, daß man in der *Mark* solche Fahrten machen kann, die wahrscheinlich mit den Fahrten auf dem Loch Neß und Loch Lochy (der sogenannte kaledonische Kanal, von Inverneß aus) die größte Ähnlichkeit haben. Die Fahrt wird ohngefähr 6 Stunden dauern, von 6 bis 12; von 12 bis 4 in Teuputz; von 4 bis 10 wieder zurück. Wein, pie und tarts muß man mitnehmen und in Teupitz nur Zander essen, der dort sehr schön ist.«

Schloß Köpenick

Dort, wo die Fahrt mit der ›Sphynx‹ begann, am Zusammenfluß der Spree mit der ›Dahme‹ oder der ›Wendischen Spree‹, liegt auf einer Spreeinsel Köpenick und am südlichen Ende dieser Insel das ›Schloß Köpenick‹.

›Wo liegt Schloß Köpenick?‹
An der Spree;
Wasser und Wald in Fern und Näh,
Die Müggelberge, der Müggelsee. [...]

Das *alte* Schloß Köpenick stand schon, als die Deutschen unter Albrecht dem Bären ins Land kamen.« Bis zur Mitte des 16. Jahrhunderts stand es, dann wurde von Kurfürst Joachim II. an seiner Stelle ein Jagdschloß gebaut, das gegen 1680 einem neuen Schloßbau für den Kronprinzen Friedrich, den späteren König Friedrich I., weichen mußte. Nach dem Tod seiner ersten Frau Henriette, vermählte er sich mit der braunschweigischen Prinzessin Sophie Charlotte, und »›die philosophische Königin‹ hielt ihren Einzug in die Marken. Zwanzig Jahre lang stand von jenem Tag an die helle Sonne dieser Frau über dem dunklen Tannen-Lande und gab ihm eine Heiterkeit, die es bis dahin nicht gekannt hatte. Aber ihr lachendes Auge, das über so Vielem leuchtete, leuchtete nicht über Schloß Köpenick.« Ihr Sohn, der preußische König Friedrich Wilhelm I., erweckte das Schloßleben wieder neu. Er war leidenschaftlicher Jäger, und »Jagd tobte wieder um Schloß Köpenick her und Fangeisen und Hörner waren wieder in ihm zu Haus«.

Dann kam ein düsterer Tag, es war der 28. Oktober 1730,

und im Wappensaal des Schlosses tagte das Kriegsgericht, »das über den Lieutenant *Katt* vom Regiment Gensd'armes, sowie über den ›desertirten Obristlieutenant Fritz‹ Urteil sprechen sollte«. Das Gericht erklärte sich als ›nicht zuständig‹, und der König bestimmte selbst die Urteile.

Mitte des Jahrhunderts wurde das Schloß Witwensitz für Prinzessin Henriette Marie von Brandenburg-Schwedt, die in Köpenick, bis zu ihrem Tode 1782, ihren kleinen Hofstaat hielt. Sie schenkte ihrem Hofprediger St. Aubin das kleine Schlößchen ›Bellevue‹, das dicht neben dem eigentlichen Schloß gelegen war. Siebzig Jahre später gehörte es der Familie von Lepel, und Fontanes Tunnelfreund, Bernhard von Lepel, wohnte ab 1850 für einige Jahre im Schlößchen Bellevue: »Wie gestern stehen die Stunden vor meiner Seele, wo wir durch die winterstille, märkische Heide fuhren [...] Wie ein verzaubertes Schloß im Märchen lag das alte, graue Steinhaus da, eine hohe Schneemauer um sich her und überragt von den halb dunklen, halb glitzernden Edeltannen des Gartens.« Das kleine Schlößchen ›Bellevue‹, das Fontane zur Schilderung des elterlichen Herrenhauses des Rittmeisters Schach von Wuthenow anregte, hat die Zeiten leider nicht überstanden.

»Nach dem Tode Henriette Marie's wurde Schloß Köpenick völlig vernachlässigt und endlich im Jahre 1804 an den Grafen Friedrich Wilhelm Carl *von Schmettau* verkauft. Dieser Graf *Schmettau*, ein besonderer Liebling Friedrich's II., ist derselbe, der von Seiten des großen Königs zum Adjutanten seines jüngsten Bruders, des Prinzen Ferdinand von Preußen, ernannt ward und in dieser intimen Stellung zu einer Fülle pikanter Anekdoten und on dit's Veranlassung gab, an denen das preußische Hofleben jener Zeit so reich war.« Man munkelte damals, daß der Graf nicht nur ein sehr gutes Verhältnis zum Prinzen Ferdinand hatte, sondern ein noch besseres zu

dessen Gemahlin. Schmettau hatte sich nach dem Siebenjährigen Krieg einen Namen als Kartograph gemacht, er »gesellte nämlich zu seinen übrigen Gaben auch das Talent eines ausgezeichneten Topographen und Kartenzeichners, und die berühmte General-Karte des preußischen Staats, die bis diesen Augenblick in dem Kartensaale des Kriegsministeriums aufbewahrt wird, bewahrt gleichzeitig den Namen *Schmettau's* in ehrendem Andenken. Die Aufschrift dieser General-Karte, die auch schlechtweg die *Schmettau'sche Karte* heißt, lautet wie folgt: ›*Tableau* aller durch den Königlich Preußischen Obersten Grafen *von Schmettau* von 1767 bis 1787 aufgenommenen und zusammengetragenen Länder.‹« Es sind insgesamt zweihundert Blätter im Maßstab 1:50000 in großem Format, mit der Hand gezeichnet und auf Leinwand aufgezogen. Schon sein Onkel, der preußische Feldmarschall Samuel Graf von Schmettau, geboren 1684, war nicht nur Oberbefehlshaber der preußischen Artillerie, sondern auch ein bedeutender Kartograph gewesen. 1720/21 hatte er in österreichischen Diensten eine Karte von Sizilien aufgenommen, und als erster Kurator der Akademie der Wissenschaften in Berlin schuf er 1748 zusammen mit dem Architekten Friedrich August Hildner und dem ›Hofkupferstecher‹ Schmidt einen Grundriß der Stadt Berlin ›Plan de la Ville de BERLIN‹ im Maßstab von 1:4333.«

Sein Neffe Friedrich Wilhelm Carl von Schmettau lebte nur wenige Jahre in Köpenick, 1806 übernahm er als Generalmajor eine Division und wurde am 14. Oktober, dem Tag der Schlacht von Auerstädt, tödlich verwundet. Man brachte ihn nach Weimar, und im Haus der Frau von Stein starb er an seinen Verletzungen und wurde am 21. Oktober in Weimar beerdigt. »Schloß Köpenick war wieder verwaist. Die Krone kaufte den Besitz zurück, aber Zimmer und Treppen blieben öde. [...] Jahrzehnte vergingen so. Da zog wieder Leben ein in Schloß Köpenick, aber welch ein Leben! Die Fenster, die nach dem Wasser hinaus lagen wurden mit Holz bekleidet, und nur ein schmaler Streifen blieb offen, [...] Geschlossene Wagen rollten über die Brücke, Alles war in Dunkel und Geheimnis gehüllt; es ging ›ein finstrer Geist durch dieses Haus.‹« Zur Zeit der ›Demagogenverfolgung‹ der ›Karlsbader Beschlüsse‹ war das Schloß Untersuchungsgefängnis geworden. »Und wieder andere Zeiten kamen. Wie einen schweren Traum schüttelte Schloß Köpenick seine jüngste Vergangenheit ab. Die Fenster blitzten wieder, wenn die Morgensonne darauf fiel, und auf dem Platze der zwischen Schloß und Schloßkapelle liegt, entstand ein Garten. *Blumen blühten wieder* und eine heitere Jugend hielt ihren Einzug.« Von 1852 bis 1926 berbergte das Schloß ein pädagogisches Seminar.

Nach 1945 wurden Kriegsschäden beseitigt, und seit 1963 ist in den Schloßräumen das Berliner Kunstgewerbemuseum untergebracht. In Raum 31, dem historischen ›Wappensaal‹ im zweiten Obergeschoß, in dem vor mehr als zwei Jahrhunderten das Kriegsgericht zusammenkam, kann man heute Mobiliar und eine große Sammlung Berliner Porzellane besichtigen.

Müggelsberge und Müggelsee

Inmitten des quadratmeilengroßen Wald- und Inseldreiecks, das Spree und Dahme kurz vor ihrer Vereinigung bei Schloß *Köpenick* bilden, steigen die ›Müggelsberge‹ beinah unvermittelt aus dem Flachland auf. Sie liegen da wie der Rumpf eines fabelhaften Wassertieres, das hier in sumpfiger Tiefe zurückblieb, als sich die großen Fluten der Vorzeit verliefen. Die Müggelsberge sind alter historischer Grund und Boden [...] In *vor*slawischer Zeit, in Zeiten, die noch keine Burgen kannten, waren *sie* die naturgebaute, wasserumgürtete Veste die von germanischen Häuptlingen jener Epoche bewohnt wurden – der Sumpf ihr Schutz, der Wald ihr Haus.«

Viele Male besuchte Fontane Müggelsberge und den Müggelsee, zumeist kam er von Köpenick, fuhr bis zum ›Teufelssee‹ und stieg von dort auf die Kuppe der Berge. 1891 wurde dort ein hölzerner Aussichtsturm errichtet, der nach 1945 abbrannte. 1961 wurde ein neuer, dreißig Meter hoher Turm errichtet, desssen oberste Plattform (120 m über NN) einen weiten Rundblick erlaubt. Man kann Fontanes Eindrücke nachempfinden: »Aus der Sand- und Sumpfwüste früherer Jahrhunderte wurde hier längst ein Park- und Gartenland und Dörfer und Städte wachsen heiter mit ihren roten Dächern und Giebeln aus allen Schattierungen des Grün hervor. [...] Fabrikschornsteine begleiten den Lauf des Flusses und hoch über den weißen Segeln der Kähne, die geräuschlos stromabwärts ziehen, steht bewegungslos die schwarze Wolke der Essen und Schlote. Leben überall, kein Fuß breit Landes, der nicht die Pflege der Menschenhand verriete.«

»Die Spree, sobald sie sich angesichts der Müggelsberge befindet, bildet oder durchfließt ein weites Wasserbecken: Die *Müggel* oder den *Müggelsee*, der mit zu den größten und schönsten unter den märkischen Seen zählt.« Er ist 4200 m lang und 2600 m breit und bis 8 m tief und ein ideales Segelgelände, aber »Die Müggel ist bös. Es ist als wohnten noch die alten Heiden-Götter darin, [...] Die alten Mächte sind besiegt, aber nicht tot, und in der Dämmerstunde steigen sie herauf und denken ihre Zeit sei wieder da.« Fontane erlebte eine dieser plötzlichen Windböen, als er den Fährmann von der Müggelbude bat, ihn über den See zu fahren: »statt jeder Antwort zeigt er nur auf eine grauweiße Säule, die mit wachsender Hast auf uns zukommt. Wie geängstigte Schwäne fahren die Wellen der Müggel vor ihr her und während ich meinen Arm fester um die Fichte lege, bricht vom See her ein Windstoß in Schlucht und Wald hinein und jagt mit Geklaff und Gepfeif durch die Kronen der Bäume hin. – Einen Augenblick nur und die Ruh' ist wieder da, – aber die Bäume zittern noch nach, und auf dem See, der den Anfall erst halb überwunden, jagen und haschen sich noch die Wellen.«

Friedrichsfelde

Vor hundertfünfzig Jahren lag ›Friedrichsfelde‹ noch vor den östlichen Toren Berlins und galt als »Charlottenburg des Ostends«. An Sonntagen zogen Hunderte nach Friedrichsfelde hinaus, um in Park und Wiesen zu spielen und zu lagern. »Es sind meist Vorstadt-Berliner, jener Schicht entsprossen, wo die Steifheit aufhört und der Zynismus noch nicht anfängt, ein leichtlebiges Völkchen, das alles gelten läßt, nur nicht die Spielverderberei, ein wenig eitel, ein wenig kokett, aber immer munter und harmlos.« Heute liegt ›Friedrichsfelde‹ in der Stadt, gehört zum Bezirk Lichtenberg, das Schloß liegt inmitten eines großen Parks, in dem sich seit den fünfziger Jahren der ›Tierpark Berlin‹ befindet.

Buch

An der nordöstlichen Grenze von Pankow und damit von Berlin liegt Buch, das im 15. Jahrhundert den Herren von Röbel gehörte, später verschiedene Besitzer hatte und Mitte des 18. Jahrhunderts von dem Staatsminister von Voß ererbt wurde. Dessen Tochter, die ›schöne Julie‹, wurde hier geboren. Im Juni 1860 machte Fontane, nachdem er »nochmals Karte und Bücher durchstudiert« hatte, seinem Verleger Wilhelm Hertz Vorschläge für eine Wanderung über Pankow, Schönhausen, Blankenfelde nach Buch. Unter drittens schlug er vor: »von Blankenfelde nach Buch. Kommen wir um 6 in Buch an so haben wir vielleicht noch Zeit, Kirche, Schloß, Park zu mustern, sonst brechen wir die Arbeit ab, nehmen die Exterieurs noch am Abend und die Interiora *früh* am andern Morgen, *vor* der Kirchzeit.«

»Das *Schloß* zu Buch ist ein Flügelbau von jener einfachen Art, wie das vorige Jahrhundert ihrer so viele auf unsern märkischen Rittergütern entstehen sah [es wurde 1724 umgebaut]. Sie haben einen gemeinsamen Familienzug und wenn sich das vor uns liegende Schloß von ähnlichen Bauten unterscheidet, so ist es durch nichts als durch eine noch größere Einfachheit. [...] Alles schlicht, und doch hat man das bestimmte Gefühl, daß hier Reichtum und Vornehmheit ihre Stätte haben.« Dieses Schloß steht leider nicht mehr, aber Teile des umgebenden Parks, der Ende des 17. Jahrhunderts als ›holländischer Garten‹ angelegt wurde, sind noch erkennbar und vorhanden. Die um 1731 erbaute Kirche, deren Kriegsschäden beseitigt wurden, gefiel Fontane nicht, ebensowenig das Innere. Unter der Kirche befand sich eine Gruft, in der die darin aufgestellten Toten nicht verwesten. »Wodurch die Mumifizierung erfolgt, ist noch nicht aufgeklärt. Vielleicht ist es die Trockenheit und mehr noch eine beständige leise Bewegung der Luft, was diese Erscheinung hervorruft.« In der Kirche befand sich ein großes Grabmonument für die Familie Viereck. Aber »noch *eine* Stelle bleibt, an die wir heran zu treten haben. Unter der Kuppel, inmitten der Kirche, bemerken wir eine Vertiefung, als seien hier die Ziegel, womit der Fußboden gepflastert ist, zu einem bestimmten Zweck herausgenommen und später wieder eingemauert worden. Es wirkt, als habe die Absicht bestanden, einen Grabstein in diese Vertiefung einzulegen. Und in der Tat stehen wir hier an einer Gruft. An eben dieser Stelle wurde die schöne *Julie von Voß*, bekannt unter dem Namen der Gräfin Ingenheim, beigesetzt.«

Sie begegnete achtzehnjährig, 1784, dem Prinzen von Preußen, dem späteren König Friedrich Wihelm II., dem sie drei Jahre später zur ›linken Hand‹ angetraut und kurz darauf zur Gräfin Ingenheim erhoben wurde. Am Beginn des Jahres 1789 gebar sie einen Sohn und starb wenige Wochen später an einer Lungenkrankheit. »Der König war in Verzweiflung und konnte sich nicht trösten und beruhigen. Auch gebrach es nicht an allgemeiner Teilnahme, ja das Volk wollte sichs nicht ausreden lassen, daß sie durch ein Glas Limonade vergiftet worden sei, weshalb der König, als er von diesem Verdachte hörte, die Obduktion befahl: Diese bewies die Grundlosigkeit des Gerüchtes; ihre Lunge war krank und daran war sie gestorben. Am 1. April erfolgte die Überführung nach *Buch*. Ihr letzter Wunsch war gewesen ›nicht in der *Mumien*-Gruft der Familie beigesetzt zu werden‹ und so bereitete man ihr das Grab unter der Kirchenkuppel, in der Nähe des Altars. – Überall in Buch begegnet man den Spuren der schönen Gräfin, *aber nirgends ihrem Namen*. Wie in Familien, wo das

Lieblingskind starb, Eltern und Geschwister übereinkommen, den Namen desselben nie mehr auszusprechen, so auch hier.« Die ›schöne Julie‹ war eine der Frauengestalten, von denen Fontane gelegentlich sagte, daß sie »alle einen Knax weghaben. Gerade dadurch sind sie mir lieb, ich verliebe mich in sie, nicht um ihrer Tugenden, sondern um ihrer Menschlichkeiten d. h. um ihrer Schwächen und Sünden willen.«

Werneuchen

Am Gründonnerstag und Karfreitag des Jahres 1861 (28. und 29. März) fuhr Fontane mit Freunden in die Gegend Blumberg und Werneuchen, das östlich von der Nordgrenze Berlins in Richtung auf Bernau liegt. Zu Beginn des Jahrhunderts lebte dort der Pfarrer und Lyriker Friedrich Wilhelm August Schmidt, genannt ›Schmidt von Werneuchen‹. Schmidt, 1764 in Fahrland bei Potsdam geboren, ging 1785 nach Halle, um Theologie zu studieren, wurde Prediger am Berliner Invalidenhaus, heiratete 1795 und kam ein Jahr danach als Pfarrer nach Werneuchen. »Den Wunsch, seine Werneuchner Pfarre mit einer anderen zu vertauschen, scheint er nie gehabt zu haben. Sein Wesen war Genügsamkeit, Zufriedenheit mit dem Lose, das ihm gefallen.« Schon in seinen ersten Predigerjahren schrieb er Gedichte, aber erst in Werneuchen erschienen die zahlreichen Bände seiner Lyrik, die Freunde, aber auch Kritiker fanden. »Er wollte wenig sein, aber *daß er dies Wenige auch wirklich war, davon war er überzeugt.*« Er »handhabte Vers und Reim mit großer Leichtigkeit und zählte zu den produktivsten Lyrikern jener Epoche«. Seine Sonette und besonders die Balladen kritisierte Fontane, weil »er in dieser

Dichtungsart beständig den bekannten *einen* Schritt vom Erhabenen zum Lächerlichen tat und uns statt erschütternder Gestalten bloße Karrikaturen vorführte. [...] Keine Dichtungsart vielleicht kann die *Verwechslung von Einfachnatürlichem mit Hausbacken-prosaischem* so wenig ertragen wie die Ballade.« Aber Fontane erkannte auch Schmidts Stärken. »Am vorzüglichsten war er da, wo er in klassischer Einfachheit und in nie zu bekrittelnder Echtheit die *märkische* Natur beschrieb und den Ton schlichter Gemütlichkeit traf *ohne in Trivialität oder Sentmentalität zu verfallen.*«

Es sauste der Herbstwind durch Felder und Busch,
Der Regen die Blätter vom Schlehdorn wusch,
Es flohen die Schwalben von dannen,
Es zogen die Störche weit über das Meer,
Da ward es im Lande öd und leer
Und die traurigen Tage begannen.

Goethe schrieb in einer Sammlung von Sprüchen: »Schmidt v. Werneuchen ist der wahre Charakter der Natürlichkeit. Jedermann hat sich über ihn lustig gemacht und das mit recht. Und doch hätte man sich über ihn nicht lustig machen können wenn er nicht als Poet wirklich Verdienst hätte das wir an ihm zu ehren haben.« Dieses Verdienst hatte er, »und wer das Wesen der Märker, insonderheit der Berliner, näher kennt, wird sich darüber nicht wundern. Die Märker lieben es, hinter ironischen Neckereien ihre Liebe zu verstecken, und während sie nicht müde werden über die eigene Heimat, über die ›Streusandbüchse‹ und die kahlen Plateau's die ›nichts als Gegend‹ sind, die spöttischsten und übertriebensten Bemerkungen zu machen, horchen sie doch mit innerlicher Befriedigung auf, wenn Jemand den Mut hat für ›Sumpf und Sand‹ und für

Schönheit des Märkischen Föhrenwaldes in die Schranken zu treten. Und dies hat Schmidt von Werneuchen ehrlich getan. Er tat es *zuerst* und tat es *immer wieder*. Sein ganzes Dichten, Kleines und Großes, Gelungenes und Mißlungenes, einigt sich in dem *einen* Punkte, daß es überall die Liebe zur Heimat atmet und diese Liebe wecken will.« In seinem ersten Roman *Vor dem Sturm* läßt er das Für und Wider zu ›Schmidt von Werneuchen‹ ausführlich diskutieren. (15. Kapitel des I. Buches).

Königs Wusterhausen

Das Städtchen Königs Wusterhausen am Südrande Berlins (Ende der S-Bahn) wurde in unserem Jahrhundert durch die große Anlage bekannt, von der im November 1920 die erste Rundfunksendung Deutschlands ausgestrahlt wurde. Die Funkmaste, teilweise fast 250 Meter hoch, sind das Wahrzeichen von Königs Wusterhausen geworden. Für Fontane war es die Erinnerung an das Jagdschloß, in dem Friedrich Wilhelm I. jeden Herbst von August bis November mit seiner Familie residierte.

Pfingsten 1862 besuchte Fontane das Schloß: »Ich reiste um 6 (Sonnabend) nach Königs Wusterhausen, wo ich's sehr reizend fand, besonders am Abend (Pfingstheiligabend). Die Einfahrt war entzückend und höchst poetisch. Am andren Morgen, wo die Sonne an die Stelle unsichrer Mondbeleuchtung trat, erwies sich vieles als kümmerlich, aber es war doch interessant.« Er hatte sich mit den Erinnerungen der Markgräfin Wilhelmine von Bayreuth, der Schwester Friedrichs II., vorbereitet. Für sie waren die Wochen in Königs Wusterhausen, wo im Hof zwei Bären Wacht hielten, die Zimmer klein und einfach waren und die Mahlzeiten draußen eingenommen werden mußten, eine einzige Qual. »In Berlin hatte ich das Fegefeuer, in Wusterhausen aber die Hölle zu erdulden.« Zunächst hieß der Ort Wendisch-Wusterhausen, Ende des 17. Jahrhunderts erwarb ihn der Kurfürst. »Dieser aber überließ es 1698 seinem damals erst zehn Jahre alten Sohne, dem späteren König *Friedrich Wilhelm I.* Friedrich Wilhelm I. nahm Wendisch-Wusterhausen von Anfang an in seine besondere Affection und hielt bei dieser Bevorzugung aus bis zu seinem Tode. [...] Straßen- und Park-Anlagen entstanden und mit Recht wechselte der Flecken seinen Namen und erhob sich aus einem Wendisch-Wusterhausen zu einem *Königs*-Wusterhausen. [...] Hier ließ er als Knabe seine ›Kadetten‹ und einige Jahre später seine ›Leib-Compagnie‹ exerzieren.« Hier fanden auch die Sitzungen seines ›Tabakskollegiums‹ statt. »Es war ein Männerfest. Zwanzig bis dreißig Offiziers, meist alte Generale, die unter Eugen und Malborough mitgefochten hatten, saßen dann um den Tisch herum und an Rheinwein und Ungar wurden nicht gespart. Der ›starke Mann‹ mußte kommen und seine Kunststücke machen; zuletzt, während die Lichter flackerten und qualmten und die Piqueurs auf ihren Jagdhörnern bliesen, packte der König den alten Generallieutenant *von Pannewitz*, der von Malplaquet her eine breite Schnarre im Gesicht hatte, und begann mit ihm den Tanz. Dazwischen Taback, Brettspiel und Puppentheater, bis das Vergnügen an sich selbst erstarb.« Die Innenausstattung war einfach, die Zimmer für den König, seine Gemahlin und seine Kinder mehr als bescheiden. »Hatte die Memoirenschreiberin *doch* Recht? Ja und Nein. Ein prächtiger Platz für einen Waidmann und eine starke Natur, aber freilich ein schlimmer Platz für ästhetischen Sinn und einen weiblichen esprit fort.«

1945 brannte das Schloß, es wurde danach schlecht und recht wiederhergestellt. Gegenwärtig plant man eine umfangreiche Restaurierung und ein Museum für die Zeit Friedrich Wilhelms I.

Mittenwalde

Im Allgemeinen darf man fragen: wer reist nach Mittenwalde? Niemand. Und doch ist es ein sehenswerter Ort, der Anspruch hat auf einen Besuch in seinen Mauern. Nicht als ob es eine schöne Stadt wäre, nein; aber schön oder nicht, es ist sehenswert, weil es alt genug ist um eine Geschichte zu haben.« Mittenwalde liegt etwa zehn Kilometer südwestlich von Königs-Wusterhausen entfernt, und auf der Pfingstreise 1862 fuhr Fontane »nach *Mittenwalde*, wo Paul Gerhardt 4 Jahre Prediger war und ›Befiehl du deine Wege‹ dichtete. Yorck stand als Oberst 7 Jahre lang dort in Garnison; und ich logierte im ›Hotel Yorck‹. Nach Teupitz kam ich nicht. In der Nacht Gewitter und Wanzen. Um 2 zu Bett, um 4 wieder auf; um 10 Uhr vormittags (2. Feiertag) wieder in Berlin, wo ich erst wieder was Ordentliches zu essen und zu trinken kriegte.«

Sieben Jahre, von 1651 bis 1657, war Paul Gerhardt Probst an der St. Moritz-Kirche in Mittenwalde. Er war bereits sechsundvierzig Jahre alt, als sich die Kirchenbehörden für ihn entschieden. 1655 heiratete er Maria Berthold. Ihr erstes Kind, die Tochter Anna starb, bevor sie ein Jahr alt war, und eine noch heute sichtbare Tafel im Seitenschiff der Kirche kündet davon. Hier in Mittenwalde dichtete Gerhardt sein ›Abendlied‹

PAUL GERHARDT HAUS

Nun ruhen alle Wälder,
Vieh, Menschen, Städt' und Felder,
Es schläft die ganze Welt –

und in schwieriger und bedrückender Situation das große »Trostes- und Vertrauenslied: ›Befiehl Du Deine Wege‹«. 1657 verließ Paul Gerhardt Mittenwalde und ging nach Berlin. Er ist »unbestritten der Glanzpunkt in der Geschichte Mittenwaldes, aber es hat der historischen Erinnerungen auch noch andre. Den 31. August [1730] traf Kronprinz Friedrich unter starker Bedeckung, von Wesel aus, über Treuenbrietzen (wo er die Nacht vorher gewesen war) in Mittenwalde ein, um daselbst, vor seiner Abführung nach Küstrin, ein erstes Verhör zu bestehen.« Dem Kommando, das ihn begleitete, stand der Generalmajor von Buddenbrock vor, den Fontane auch an anderen Stellen erwähnte. Der Name taucht in *Effi Briest* wieder auf. In den Dünen Kessins ist der Sekundant des Major Crampas ein Nichtadliger, der den Namen *Buddenbrook* trägt (jetzt mit zwei ›o‹ geschrieben), ein Name, den ein begeisterter Verehrer Fontanes und seiner *Effi Briest* für seinen ersten Roman übernahm: *Die Buddenbrooks* von Thomas Mann.

»Fast siebenzig Jahre später [nach 1730], am Sylvesterabend 1799, tritt noch einmal eine historische Figur auf die bescheidene Mittenwalder Bühne, um ihr sechs Jahre lang in Leid und Freud' anzugehören. Sechs Jahre lang, wie Paul Gerhardt. Ein Kämpfer wie dieser, nicht mit mächtigeren, aber mit derberen Waffen. Es genügt seinen Namen zu nennen: Major von Yorck, der spätere ›alte York.‹«

Schon früh interessierte sich Fontane für das bewegte Leben des späteren Feldmarschalls, das er in Droysens 1852 erschienener dreibändiger Biographie *Das Leben des Feld-*

marschalls Grafen Yorck von Wartenburg kennengelernt hatte. Yorcks Worte bei Laon im März 1814, als erwartete Hilfe ausblieb, ›nun dann muß es auch so gehn‹, wurde eine der bevorzugten Devisen Fontanes, die bis in seine letzten Lebensjahre immer wieder helfen mußte. Noch im September 1894 schrieb er aus Karlsbad an Adolph Menzel, da ein geplantes Vorhaben sich nicht realisieren ließ, »wie York bei Laon sagte, als die Russen ausblieben – schade, aber es muß auch so gehn«. Und je nach der Situation betonte er das ›muß‹ oder das ›so‹. In Mittenwalde wohnte er in dem ehemaligen Wohnhaus Yorcks. »Es ist jetzt ein Gasthaus, in der Hauptstraße der Stadt gelegen, und führt wie billig den Namen ›*Hotel York*‹. Über der Haustür erblicken wir eine Nische und an derselben Stelle, wo sonst wohl ein ›Mohr‹ oder ein ›Engel‹ zu stehen pflegt, steht hier eine Büste des alten York.« Das Haus, wenn auch kein Hotel mehr, steht noch heute, und in der Nische Yorcks Büste von Christian Rauch.

»Wer reist nach Mittenwalde?« fragte Fontane: »Tausende wallfahren nach Gohlis, um das Haus zu sehen, darin Schiller das Lied ›an die Freude‹ dichtete. Mittenwalde besucht niemand, und doch war es in *seinem* Probstei-Garten, daß ein anderes, größeres Lied an die Freude gedichtet wurde, das große deutsche Tröstelied:

Befiehl Du Deine Wege.«

Heute ist die Pfarrkirche St. Moritz, deren Propst Paul Gerhardt war, in gutem Zustand, der Turmaufbau wurde erst 1878 errichtet. Im Seitenschiff ist das Epitaph für die kleine Tochter Anna von Paul Gerhardt erhalten.

Groß-Beeren

Das leicht hüglige Gebiet, südlich von Berlin, zwischen Spree und Dahme im Osten und der Havel im Westen, ist ›der Teltow‹. Noch 1894, als er 75 Jahre alt war, erinnerte sich Fontane an seine allererste ›Wanderung in die Mark Brandenburg‹, da er Anfang der dreißiger Jahre als Untertianer »eine Fußpartie nach dem mir durch Familienbeziehungen bekannten und befreundeten Dorfe Löwenbruch hin unternahm [...] Löwenbruch liegt drei Meilen südlich von Berlin und ist eines jener vielen Teltowplateau-Dörfer, durch die König Friedrich Wilhelm I. eine prächtige Doppelallee von Kastanien und Linden ziehen ließ, um, wenn er von Potsdam aus nach dem Duberow-Walde bei Königs Wusterhausen fuhr, immer einen grünen Schirm zur Seite zu haben. Er kam freilich, was seine Person angeht, nicht recht in die Lage, sich dieser schönen Anlage zu freuen (es dauert eben lange, bevor Bäume sich dankbar erweisen) [...] Es war ein scharfer Nachmittagsmarsch. Etwa gegen drei war ich am Halleschen Tor, dem zu jener Zeit noch zwei griechisch angekränkelte Torhäuser als achitektonische Zierde dienten, und passierte gleich den trägen Nebenlauf der Spree, der damals, statt der späteren Bezeichnung ›Kanal‹, noch den anspruchsloseren Namen ›Schafgraben‹ führte. Dahinter kamen Kreuzberg und Tempelhof, auch noch andere Dörfer, bis ich, angesichts von Großbeeren, auf einem zusammengeharkten Haufen kleiner Chausseesteine Rast machte. Neben mir erhob sich eine Pappel, dran ich, zu größerer Bequemlichkeit, mich anlehnte. Die Sonne war eben im Untergehen, und über den schon wieder umgepflügten Acker, der in voller Breite vor mir lag, zogen dünne Nebel und bewegten sich langsam auf die leis anstei-

Die gefallenen
Helden ehrt dank-
bar König und
Vaterland
Sie ruhn
in Frieden
Gr. Beeren

gende Großbeerener Kirchhofshöhe zu. Die Kirche selbst, von der scheidenden Sonne beschienen, stand im letzten Tagesschimmer. Über eben dieses Feld hin waren zwanzig Jahre früher (es stimmte fast auf den Tag [am 23. August 1813]) unsre preußischen Bataillone, meist Landwehr, unter strömendem Regen angerückt, auch auf jene Großbeerener Kirche zu, denselben Weg, den jetzt die Nebel zogen. Es war nicht viel, was ich von der Schlacht als solcher wußte, nur das Eine, daß der König von Schweden bis hinter die Spree zurückgewollt, General von Bülow aber ihm geantwortet hatte: ›er würde vorziehn, die Gebeine seiner Landwehrmänner *vor* als *hinter* Berlin bleichen zu sehen.‹ Auch *das* wußt ich, daß da, mehr nach rechts hin, ein Prinz von Hessen-Homburg – ganz wie sein Ahnherr bei Fehrbellin – an der Entscheidung teilgenommen und den Hügel, auf dem sich jetzt die Windmühle drehte, mit ein paar havelländischen Bataillonen genommen hatte.« Über diese Wanderung schrieb der Untertertianer seinen Deutschaufsatz und hatte die Freude, ihn mit dem Vermerk ›Recht gut‹ zurückzuerhalten.

Über vier Jahrhunderte war Großbeeren Familienbesitz derer von Beeren. Im August 1813 fand hier die Schlacht von Großbeeren statt. »Im Übrigen war es keine große Schlacht gewesen. [...] Es bleiben aber solche vor den Toren einer Hauptstadt geschlagenen Schlachten immer ganz besonders im Gedächtnisse der Menschheit, einfach deshalb, weil die Zahl der durch solche Kämpfe zu *direkter* Dankbarkeit Verpflichteten um Vieles größer ist als bei Provinzial- oder gar Auslandsschlachten.«

1817 wurde zur Erinnerung an den Sieg eine Fiale von Karl Friedrich Schinkel aufgestellt. 1913 errichtete man zur Jahrhundertfeier einen Gedenkturm, eine Pyramide aus Feldsteinen steht auf dem Schlachtfeld.

Zu Beginn des 19. Jahrhunderts lebte auf Groß-Beeren Hans Heinrich Arnold von Beeren, der sich ›Geist von Beeren‹ nannte. »Er war ein kleiner, schmächtiger, lebhafter Mann, witzig, sarkastisch, hämisch. Zwietracht anstiften, zanken, streiten und opponieren war seine Lust. [...] Unter den Personen, gegen die seine Spöttereien sich richteten, war unter andern auch der Reformator unserer Landwirtschaft, der berühmte *Thaer*. Die Prinzipien, die dieser einzuführen trachtete, hatten nicht die Zustimmung unseres Geist von Beeren, vielmehr machte letztrer seinem Unmut in einer kleinen Brochüre Luft, die den Titel führte: ›die preußische Landwirtschaft ohne *Theer*.‹ Alles lachte. Der kleine Tückebold hatte sich aber diesmal verrechnet und es erschien eine Gegenschrift unter dem Titel: ›die preußische Landwirtschaft ohne *Geist*.‹ Solchem Reparti war er nicht gewachsen und er gab die Fortsetzung des Kampfes auf.« Wenige Jahre danach erlosch die Familie, und der Besitz ging in andere Hände über. Einer dieser Besitzer war für einige Jahre der Großonkel Fontanes, von seiner Mutter Seite, Mumme, der das Gut 1824 für knapp 88 000 Taler erstand, es aber bereits 1827 für 94 000 Taler wieder verkaufte. Die Beziehungen zu den Mummes bildeten einen besonderen Stolz der Mutter Fontanes, »vielleicht nur deshalb, weil ›Onkel Mumme‹ Rittergutsbesitzer auf Klein-Beeren war und unter anscheinend glänzenden Verhältnissen lebte. Ich entsinne mich, daß er, neben allerhand Chaisen und Halbchaisen, auch einen Char à banc mit langen, kirschroten Sammetpolstern besaß und in diesem weithin leuchtenden Prachtstück, wenn wir in Berlin zu Besuch waren, nach Klein-Beeren hinaus abgeholt zu werden, bedeutete uns allen, aber am meisten meiner Mutter, ein hohes Fest, nicht viel anders, wie wenn wir zu Hofe gefahren wären. Später schlief das alles ein. Ich glaube Onkel Mummes Stern verblaßte.«

Um 1820 wurde von Schinkel eine in gotisierendem Stil entworfene Kirche gebaut, deren innere Ausstattung bemerkenswert ist. Sie hat die Jahrzehnte bis heute gut überstanden.

Klein-Machenow

Klein-Machenow ist ein reizend gelegenes Dorf, das sich an einem vom Teltefließ gebildeten See hinzieht. Die Häuser sind ärmlich, aber schöne Kastanienalleen, wie sie während des vorigen Jahrhunderts fast überall in den Nachbardörfern Berlins entstanden, geben dem Ganzen ein sehr malerisches Ansehen. Das Dorf ist alter Besitz der v. Hakes. Diese Familie, die 3 Gemshörner (Haken) im Wappen führt, war früher wie im Havellande so auch im *Teltow* reich begütert, besitzt aber in letztrem Kreise, nach Einbuße von Genshagen und Heinersdorf, nur noch Klein-Machnow und das Patronat über das angrenzende Stahnsdorf.«

Das Herrenhaus besteht leider nicht mehr. »Die Auffahrt auf den sehr geräumigen Hof erfolgt durch ein altes Sandsteinportal, das nach außen hin einen Medusenkopf und auf diesem eine Minerva zeigt. Die Dorfleute betrachten den Medusenkopf als das Portrait eines hartherzigen Vorbesitzers, der schließlich von den Schlangen verzehrt worden sei. Nichts scheint das Volk in seinen poetischen Hange schöpferisch zu stimmen als der Anblick von Kunstwerken, die es nicht versteht. Es ruht nicht eher, als bis eine Deutung gefunden hat, wobei es zugleich eine Neigung und ein Geschick zeigt, schon vorhandene Sagen oder Geschichten dem gegebenen rätselhaften Etwas anzupassen.« Dieses Parktor mit dem Medusenkopf ist erhalten geblieben.

»Wir sind nun an die *Kirche* herangetreten. Es ist ein überraschend gefälliger, beinah feinstilisierter Backsteinbau aus dem 16. Jahrhundert (vielleicht auch schon aus dem 15.) reizend zwischen Bäumen und Epheugräbern gelegen und von einer Steinmauer eingefaßt. Die eine Kirchenwand trägt zwar deutlich die Inschrift: ›Casparus Jacke, Maurermeister zu Potsdam 1597‹, doch hat er die Kirche sehr wahrscheinlich nur restauriert. Der Unterbau, bis zum Beginn der Fenster, ist jedenfalls viel älter und die bestimmt zu Tage tretende Verschiedenheit der Steine hat denn auch zu der Sage geführt, daß zwei Schwestern die Kirche gebaut und helle und dunkle Ziegel genommen hätten, um ihren Anteil unterscheiden zu können.« Die Kirche ist in ihrer ursprünglichen Substanz weitgehend erhalten geblieben, und auch durch die Ausstattung im Innern sehenswert.

»Machenow auf dem Sande ist nur eine gute halbe Stunde vom *Wann*- und *Schlachten-See* und all jenen andern im Grunewald gelegenen Wald- und Wasser-Partieen entfernt, die, wenn längst gehegte Wünsche sich erfüllen (erfüllten sich seitdem) über kurz oder lang vor die Tore Berlins gerückt sein werden. Dann wenn die steil abfallende Hügelreihe, die das weite Becken des Wannsee von Osten her umfaßt, zu einem Quai für heitre, von wildem Wein umlaubte Villen geworden sein und Forst und Fluß nach allen Seiten hin durchstreift werden wird, dann wird auch das hübsche Dorf am Telte-Fließ seine Besucher und seine Verehrer gefunden haben.« Diese Prophezeiung Fontanes wurde nur wenige Jahrzehnte später Wirklichkeit.

Der Familie von Hake, die Klein-Machnow besaß, gehörte auch das etwas südlich gelegene Stahnsdorf, und in den letzten Jahren des 19. Jahrhunderts kaufte die Stadt Berlin von ihr eine große Fläche märkischen Sandboden und ließ

dort zwei große Friedhöfe – den Südwest- und den Waldfriedhof – anlegen, denn im eigentlichen Stadtgebiet gab es keinen Platz mehr. Auf den Friedhöfen in Stahnsdorf haben Tausende von Berlinern und Berliner Familien ihre letzte Ruhestätte gefunden: Lovis Corinth, die Familie Langenscheidt, Heinrich Zille, Engelbert Humperdinck, Hans Baluschek, die Familie Siemens. Auch Fontanes zweitältester Sohn, Theodor Henry Fontane, ist hier begraben. Am 3. November 1856 in Berlin geboren, wurde er ›Wirklicher Geheimer Kriegsrat‹ und starb mit 76 Jahren am 16. Mai 1933.

Und noch ein anderes Grab findet sich in Stahnsdorf. Unter einer Grabplatte mit dem Spruch aus der Offenbarung des Johannes (13, 15) ›Selig sind die Toten, die im Herrn sterben« liegt die Urne mit der Asche der *Elisabeth Baronin von Ardenne, geborene Freiin und Edle von Plotho*, die am 26. Oktober 1853 in Zerben am rechten Elbufer nordöstlich von Magdeburg geboren wurde und im neunundneunzigsten Lebensjahr, am 5. Februar 1952, in Lindau am Bodensee starb. Nur fünfundsechzig Kilometer östlich von ihrem Geburtsort, fast auf der gleichen Breite, liegt sie hier im märkischen Sand begraben. Sie war das Urbild der *Effi Briest*. »Es ist nämlich eine wahre Geschichte, die sich hier zugetragen hat, nur in Ort und Namen alles transponiert«, schrieb Fontane nach Erscheinen des Buches einer Dame, die einige Fragen zum Roman an ihn gestellt hatte.

»[...] Effi lebt noch, ganz in der Nähe von Berlin. Vielleicht läge sie lieber auf dem Rondel in Hohen-Kremmen.« Elisabeth von Plotho lebte fast ein Jahrhundert, sie überlebte Fontane, sie überlebte den ersten und auch den Zweiten Weltkrieg, und sie hat die Antwort auf die Frage, ob sie je den Roman ihres Lebens gelesen hat, mit ins Grab genommen.

von Ardenne
Edle von Plotho
1853 gest. 5. 2. 1952
Joh. 14.13

Am Wannensee

Fontane nannte den ›Wannsee‹, wie zu seiner Zeit üblich, zuweilen ›Wannensee‹. Ende September 1861 machte er seinem Verleger Wilhelm Hertz den Vorschlag für eine kleine Wanderung. »Das Wetter ist kostbar, man weiß nicht wie lang es dauert und Urlaub und Ferien sind kurz. Ich möchte also morgen (Dinstag) die kleine Grunewald-Fahrt antreten. Mein Plan ist der: 1) Um Punkt 11 Uhr Rendez-vous am Potsdammer Thor 2) Fahrt in Droschke oder Thorwagen nach Steglitz. 3) Von Steglitz zu Fuß über Dalem nach Schloß Grunewald (kleine halbe Meile) 4) Von Schloß Grunewald, am Schlachten-See vorbei durch den Grunewald bis an den Wannen-See (eine kleine Meile) 5) Vom Wannensee bis nach Zehlendorf (eine halbe Meile) und von da per Eisenbahn zurück. [...] In Schloß Grunewald frühstücken wir, eine Flasche Wein (besser 2 halbe wegen leichtren Tragens) nehmen wir mit. Plan habe ich und zwar einen sehr guten.«

»Wer hätte im Laufe dieses Sommers von dem neuen Eisenbahnprojekt (über Charlottenburg durch den Grunewald bis Potsdam) gehört, ohne nicht zugleich den Vorsatz zu fassen, einen lange versäumten Besuch ehemöglichst nachzuholen und die Havelforsten zwischen Pichelsberg und dem Wannensee auf ihren Schönheitsgehalt zu prüfen.« Die seit Jahren geplante Stadtbahnstrecke über Charlottenburg, Grunewald, Wannsee nach Potsdam wurde dann erst zwanzig Jahre später – 1882 – gebaut. »Der Grunewald auf diesem Uferstreifen zwischen Pichelsberg und dem Wannensee ist von ganz besonderer Schönheit. Die Stämme sind hoch und schlank, und alles Unterholz fehlt; fährt man mit einem Boot die Havel abwärts, so blickt man durch die Umrahmung der rotbraunen Stämme bis tief in den Wald hinein [...] An dieser Stelle, auf dem Plateau am Wannensee (wenn unsere Wünsche in Erfüllung gehen), werden sich innerhalb einiger Jahre die Sommerwohnungen vieler unserer Residenzler erheben; hierhin werden die Villas verpflanzt werden, denen es an der Lisière des Tiergartens hin bereits zu städtisch zu werden beginnt. Zwei Fragen drängen sich auf: An welcher Stelle werden die Villen am besten sich erheben? Und zweitens (eine Frage, die vielleicht die erste sein sollte): Wird das Entstehen einer Villenstraße, die leicht zu einer Villenstadt, wie in England viele solcher Beispiele existieren, anwachsen könnte, nicht die Schönheit, die Frische dieser Waldgegend gefährden? – Die zweite Frage beantworte ich zuerst und nach bester Überzeugung dahin, daß solche Besorgnisse einfach deshalb ungerechtfertigt sind, weil man einer Natur das nicht mehr nehmen kann, was sie längst nicht mehr besitzt. Es ist still und lauschig an diesen Havelseen; aber es ist töricht, eine Miene anzunehmen, als würde hier durch Eisenbahn und Sommerwohnung ein heiliger Frieden, ein unentweihter Tempel der Natur zerstört werden. [...] Überall, auf Schritt und Tritt, begegnet man hier den Zeichen der Kultur, den Schöpfungen der Menschenhand – Gärten und Ackerfelder, zumal an den Seen entlang, die den Grunewald durchziehen, unterbrechen den Forst [...] Die Natur wird durch diese Anlagen nicht verlieren, wohl aber gewinnen. Denn so schön die prächtige Wasserfläche ist, die sich hier ausbreitet, so sehr dies Blau labt und die schönen Linien des Ufers das Auge erfreuen, *ein* Mangel bleibt, von dem alle Landschaftsbilder unserer Mark nicht freizusprechen sind – *Monotonie*. Diese Monotonie, in der nur dann ein Zauber waltet, wenn es noch die Monotonie des Urwaldes ist, sie ist unserer Landschaft zu *nehmen, nicht aber zu bewahren*; denn unsere Landschaft hat längst aufgehört, ein bloßes Naturprodukt zu sein.«

»Rom im Siebenhügelkranz,
Cremmen, Schwante, Vehlefanz,
Nemi-See, Genzano-Sträußchen,
Stralau, Treptow, Eierhäuschen,
Blick aufs Forum, Ara Celi,
Tasse Kaffee bei Stehely,
Lockt auch Fremde, Schönheit, Pracht,
Glücklicher hat mich die Heimat gemacht.«

Das Schildhorn bei Spandau

Spandau ist eine der ältesten Städte der Mark und seine Lokalgeschichte zählt zu den interessanteren. Hier an den Ufern der Havel entschieden sich die Kämpfe zwischen Christen und Wenden, hier faßte die Reformation zuerst festen Fuß in brandenburgischen Landen und hier war es, wo der junge Friedrich Wilhelm (der spätere ›große Kurfürst‹) nach einer Zeit voll Elend und Erniedrigung, siegreich seinen Einzug hielt ...« Lange Zeit hatte man sich gewöhnt, Spandau »nur mit der Nachtseite menschlicher Dinge in Verbindung zu bringen. Festungsgräben mit Militärsträflingen, Kasematten mit politischen Gefangenen, Korrektionshäuser und Strafanstalten aller Art –«

Doch dieses Bild wandelte sich. Fontane wollte nicht Spandau besuchen, sondern er wollte weiter havelabwärts zu dem Punkt, der den Namen ›das Schildhorn‹ führt. »Wie unverdient ist der Spott, der unsere märkische Landschaft zu verfolgen pflegt, wenigstens *hier*! Die breite, blaue Wasserstraße teilt sich und einigt sich sich wieder und schafft eine ununterbrochene Kette von Inseln und Seen. Die Eilande selbst wech-

seln in ihrem Charakter.« Die Fahrt geht weiter: »Wir haben uns inzwischen der Landzunge mehr und mehr genähert und die Formen nehmen bestimmtere Gestalt an. Wir erkennen deutlich eine Säule, die in der Mitte ihres Schaftes einen Schild und auf der Höhe des Ganzen ein Kreuz trägt.« Die Sage vom ›Schildhorn‹ erzählt, wie der Wendenfürst Jaczko, nach dem Fall von Brennabor (Brandenburg) fliehen muß, er versucht die Havel in Höhe des jetzigen Schildhorn mit seinem Pferd zu durchschwimmen, aber das Tier war zu ermattet. »Da Angesichts des Todes warf das Herz des Wendenfürsten die alten Heidengötter von sich, und die Hand, die den Schild hielt, hoch gen Himmel erhebend, rief er den Gott der Christen an, ihm zu helfen in seiner Not. Da war es ihm , als faßte eine Hand den erhobenen Schild und hielte ihn mit leiser, aber sicherer Macht über dem Wasser; dem sinkenden Pferde kehrten die Kräfte zurück und der Vorsprung war erreicht. Jaczko hielt, was er gelobt, und wurde Christ.« 1845 wurde von August Stüler auf der Schildhorn-Landzunge ein Denkmal errichtet: eine baumartige Säule, die ein Kreuz trägt, das nicht die Zustimmung Fontanes fand. »Etwas *Apartes* ist gewonnen, nichts Schönes, das der eigentümlichen Schönheit der Landschaft entspräche. Möglich, daß jene Apartheit Zweck war; sie sichert allerdings dieser Säule einen Eindruck, dessen sie vielleicht entbehrte, wenn sie schöner und mehr im Einklang mit dem Üblichen wäre.« 1945 wurde das Denkmal zerstört und 1954 wieder neu aufgestellt.

»Blaue Havel, Grunewald,
Grüß mir alle beide,
Grüß und sag, ich käme bald,
Und die Tegler Heide.«

Drei lange Jahrzehnte – Fontanes Arbeit an den »Wanderungen«

Nachwort von Otto Drude

Sommer 1856: Fontane war wieder in London, fast schon ein Jahr. Es war sein dritter und sollte sein letzter und längster Aufenthalt werden, bis zum Januar 1859 würde er dauern. Die zunächst geplante Deutsch-Englische Pressekorrespondenz kam nicht über die ersten beiden Nummern hinaus und war seit dem Frühjahr eingestellt. Danach wurde Fontane bis Jahresende der Deutschen Botschaft als ›Presseagent‹ zugeteilt. In den ersten Monaten waren seine Frau und der vierjährige George bei ihm in London, aber sie kehrten im Mai aus Heimweh und wegen schwieriger Wohnverhältnisse nach Berlin zurück.

Jetzt hatte er genügend Zeit für eigene Arbeiten, doch ihm fehlte die Heimat, er vermißte seine Frau und George, er sehnte sich nach Berlin und der Mark, nach den Freunden und Bekannten aus dem ›Tunnel‹.

»Das Haus, die Heimat, die Beschränkung, / Die sind das Glück und sind die Welt«.

»Niemand macht sich eine Vorstellung von der äußerlichen Einfachheit und Schlichtheit meines Lebens hier. Ich würd' es auch faktisch nicht ertragen können, wenn diese Art zu leben nicht einigermaßen zu meinen Neigungen stimmte; ein andrer Mensch von gleichen Ansprüchen und gleicher Verwöhntheit könnt' es nicht aushalten. Aber *das* Leben, das mir mitunter als Ideal einer Existenz vorgeschwebt hat, hab' ich eigentlich hier: still sitzen, wenig Störung, schreiben, lesen und Kaffee trinken«, klagte er seiner Frau.

Er besuchte die Umgebung Londons, und dabei formte sich ihm die Idee eines Buches, über die er im Tagebuch notierte: »Einen Plan gemacht. ›*Die Marken*, ihre Männer u. ihre Geschichte. Um Vaterlands- u. künftiger Dichtung willen gesammelt u. herausgegeben von T. Fontane.‹ – Die Dinge selbst geb' ich alphabetisch. Wenn ich noch dazu komme *das* Buch zu schreiben, so hab' ich nicht umsonst gelebt u. kann meine Gebeine ruhig schlafen legen.« Von der zunächst geplanten lexikalischen Sruktur ging er später wieder ab, lediglich die Vorträge und Aufsätze über *Märkische Kriegsobersten* und *Vaterländische Reiterbilder* erinnern noch daran.

Während seines zweiten Aufenthaltes in London – Frühjahr und Sommer 1852 – hatte er bisweilen Berichte verfaßt, die: »*ohne jegliche Prätension von Forschung, Gelehrsamkeit, historischem Apparat* [...] *wandernd, plaudernd, reisenovellistisch*« geschrieben waren. So hatte er seinerzeit einen Reisebericht über das Schlachtfeld bei *Hastingsfeld* geschrieben, an den er jetzt im Sommer 1856 wieder anschloß, als er nach der Waltham Abbey im Norden Londons fuhr. Bei seiner Rückkehr begegneten ihm an der Bahnstation zwei Züge, deren Lokomotiven die Namen ›Cromwell‹ und ›James Watt‹ trugen. »Die englische Geschichte liegt zwischen diesen Namen. Hastingsfeld und Waltham-Abbey waren Tod und Begräbnis des alten Sachsentums, Cromwell war sein Rächer, und mit dem dritten Namen kam *unsere* Zeit...« In dieser Art schrieb er nun: *plaudernd* und *reise-novellistisch*.

Im Sommer des folgenden Jahres notierte er im Tagebuch: »Ein Buch intendirt, unter dem Titel: ›*Brandenburgische Geschichten.*‹ (z. B. also: der falsche Waldemar, die Hussiten vor Bernau. Die schöne Gießerin. Die weiße Frau. Die alten adligen Geschlechter u. ihre Sagen. Derflinger. Sidonie von Borck. (pommersch.) Die kurfürstl: Schlösser. Rheinsberg. Kohlhaas. Prinz v. Hessen Homburg etc.)«

Doch erst im August 1858 – wieder ein Jahr später – erprobte er in einer anderen Landschaft, wie er vorgehen könnte. Es war Schottland, wohin er, vierzehn Tage im August, zusammen mit Bernhard von Lepel fuhr. Ähnlich der Mark war Schottland lange Jahre eine vergessene Landschaft gewesen, erst Sir Walter Scott hatte es mit seinen Waverly-Romanen interessant und besuchenswert gemacht, und die junge Königin Victoria wählte damals, davon angeregt, das nördliche Land zu ihrem jährlichen Sommeraufenthalt.

Fontane erzählte seine Reiseerlebnisse und wählte die *plaudernde* und *reise-novellistische* Form. In Schottland erlebte er während einer Dampferfahrt auf dem Forth von Edinburgh nach Stirling das Bild seiner märkischen Heimat, alles erinnerte ihn an das Havelland, »das beinah inselförmige Stück Land, um das die Havel ihr blaues Band zieht« und während des Besuches des Douglas-Schlosses am Lochleven stieg, einer Vision gleich, das Rheinsberger Schloß aus den Wassern des schottischen Sees empor: ein Erlebnis, welches das Vorwort des ersten ›Wanderungsbandes‹ zurückruft. Noch im Mai 1888 erzählte er Mathilde von Rohr, wie er einst mit Lepel über den See fuhr und dabei an Rheinsberg dachte, damals »stand es in meiner Seele fest, die Mark Brandenburg und ihre Schlösser und Seen beschreiben zu wollen«.

Im Januar 1859 kehrte er endgültig nach Berlin zurück und bemühte sich, die Berichte seiner schottischen Reise in verschiedenen Zeitungen, in der Sonntagsbeilage der ›Vossischen Zeitung‹, in Cottas ›Morgenblatt‹ und in der ›Kreuzzeitung‹, unterzubringen. Mit Freunden und Bekannten reiste er ins Ruppinsche, in den Spreewald, in die nähere Umgebung Berlins und in die Oderbruchgegenden, es waren die ersten Versuche, die Pläne seiner ›Märkischen Wanderungen‹ zu verwirklichen.

Im Sommer rezensierte er das gerade erschienene Buch Anton von Etzels *Die Ostsee und ihre Küstenländer, geogra-*

phisch, naturwissenschaftlich und historisch geschildert. Dieses Buch repräsentiere, so urteilte er, »wenn auch nur annähernd, eine Gattung von Büchern, die wir mit dem Namen einer historisch-romantischen Reiseliteratur bezeichnen möchten«, und diese Literatur sei in Deutschland kaum vorhanden. »Es fehlt östlich der Elbe noch durchaus die Wünschelrute, die den Boden berührt und die Gestalten erstehen macht. Wer Gelegenheit genommen hat, zu beobachten, wie dieser eigentümliche, wichtige Literaturzweig in England blüht, der wird uns zustimmen. Es handelt sich dabei um die Ausmünzung, um die Popularisierung unserer Geschichte. Es ist eine nachgerade abgetane Phrase, daß die Geschichte anderer Länder interessanter sei als die unsrige; es hat bisher unter uns nur an den Leuten gefehlt, die – wir fassen auch dabei wieder speziell unsre nächste Heimat ins Auge – es verstanden hätten, aus dieser Geschichte etwas zu machen. So ist es gekommen, daß wir, die wir am liebsten die zehntausend Griechen alle bei Namen kennten, von der Geschichte unserer ältesten und besten Provinzen nichts wissen, deshalb nichts wissen, weil wir die Chroniken und Werke gelehrter Historiographen nicht lesen und weil jene Kleinhändler fast bis auf diesen Tag gefehlt haben, die uns im Roman, in der Erzählung und Reisebeschreibung die unzweifelhaft vorhandenen Schätze vermittelt hätten.« Sätze, die wie eine Ankündigung der *Wanderungen* klangen.

Im folgenden Jahr fand er einen Verleger, der seine *Briefe und Berichte aus Schottland* unter dem Haupttitel *Jenseit des Tweed* herausbrachte, und im Sommer wurde er Redakteur des ›englischen Artikels‹ bei der ›Kreuzzeitung‹. Im Verlauf des Jahres erschienen dann auch die Studien *Aus England* und die *Balladen.*

Zeitweise plante er ein 20bändiges Werk über die Mark

Brandenburg, kam aber wieder davon ab, denn das würde wahrscheinlich ein Jahrzehnt Arbeit gekostet haben. Aber im Herbst wollte er ein Buch *Zwischen Elbe und Oder* schreiben.

Immer wieder wurden inzwischen kleine Fahrten in die Mark unternommen, die er mit einem detaillierten Programm genau vorbereitete und dann seinem Verleger Hertz vorschlug: »Heut Nachmittag [...] hab' ich bei Blitz und Donner nochmals Karte und Bücher durchstudiert. Resultat (mit Ihrer Zustimmung) folgendes. 1) Um 2 Uhr nach Pankow. Kein Aufenthalt in Pankow und Schönhausen, sondern gleich weiter 2) nach Rosenthal und Blankenfelde (alte Kirche, Grumbkow etc) 3) von Blankenfelde nach Buch. Kommen wir um 6 in Buch an so haben wir vielleicht noch Zeit, Kirche, Schloß, Park zu mustern, sonst brechen wir die Arbeit ab, nehmen die Exterieurs noch am Abend und die Interieurs *früh* am andern Morgen, *vor* der Kirchzeit. 4) von Buch nach Zepernick und Schoenow zwei Dörfer mit sehr alten Kirchen, beide 1/2 Meile von Bernau. 5) von Schoenow nach Bernau. 6) in Bernau: Kirche, Speis' und Trank und Rückkehr per Dampf zu geeignt: Zeit nach Berlin. Der Ausflug nach Tasdorf etc geht nicht; es ist zu weit ab, um's mit ›Buch‹ zu vereinen.«

Hertz begleitete ihn nicht nur auf den Fahrten, er war auch bereit, die in verschiedenen Zeitschriften im Vorabdruck erschienenen *Märkische Bilder* als Buch zu verlegen. Im Februar 1861 schlossen sie den Vertrag über einen ersten Band, der den Titel *Wanderungen durch Mark Brandenburg* tragen sollte. Für die erste Auflage wurden 1000 Exemplare und ein Honorar von 300 Thaler vorgesehen.

Bereits im Spätherbst erschienen die *Wanderungen durch die Mark Brandenburg* im Umfang von 475 Seiten. Die Landschaft der ›Grafschaft Ruppin‹ war mit knapp 200 Seiten vertreten, es folgte das Gebiet des ›Barnim‹ (später in ›Oderland‹ aufgenommen) mit 150 Seiten und der ›Teltow‹ (später im ›Spreeland‹ aufgenommen) mit 90 Seiten, schließlich kamen noch 35 Seiten Anmerkungen hinzu. Das Buch wurde gut aufgenommen, eine Besprechung prägte dafür den Ausdruck der ›historischen Landschaft‹. Ostern 1863 waren von den 1000 Exemplaren schon etwa 800 verkauft, und Fontane und Hertz schlossen Ende Mai 1863 den Vertrag über einen weiteren Band, der dem ›Oderland‹ gewidmet sein sollte, und Ende November erschien *Wanderungen durch die Mark Brandenburg. Zweiter Theil. – Das Oderland. Barnim. Lebus* in einer Auflage von 1250 Exemplaren. Von jetzt ab führten alle Bände den Obertitel *Wanderungen durch die Mark Brandenburg*.

Im Jahr darauf wurde bereits eine zweite Auflage des ersten Bandes notwendig. Sie erschien, auf 1865 vordatiert, mit dem neuen Obertitel als *Erster Theil. Die Grafschaft Ruppin. Barnim-Teltow* in einer Auflage von 800 Exemplaren. Fontane hatte den Band bei einem Umfang von etwa 500 Seiten wesentlich umgearbeitet, viele Kapitel der ersten Auflage waren entfallen, anderes hinzugekommen.

Danach gab es eine Pause von fast acht Jahren, da Fontane, beginnend mit dem Buch über den Dänischen Krieg, insgesamt drei, zum Teil mehrbändige, Kriegsbücher für den Verlag Decker übernommen hatte. Lediglich eine zweite Auflage des Bandes *Oderland* erschien 1867, auf 1868 vordatiert.

Erst 1872 einigten sich Fontane und Hertz über einen weiteren, den dritten Band, der im Herbst in einer Auflage von 1500 Exemplaren als *Wanderungen durch die Mark Brandenburg. Dritter Theil. Ost-Havelland* erschien. Im Jahr darauf beschlossen sie den endgültigen Umfang der *Wanderungen* mit vier Bänden: der letzte Band sollte das ›Spreeland‹

beschreiben. Neuauflagen der bisher vorliegenden Bände wurden dazu jeweils entsprechend verändert und umgearbeitet.

Schließlich erschien 1881 der abschließende vierte Band in einer Auflage von 1500 Exemplaren mit dem Titel *Wanderungen durch die Mark Brandenburg. Vierter Theil. Spreeland. Beeskow-Storkow und Barnim-Teltow,* bereits auf 1882 vordatiert.

Zwei Jahrzehnte waren seit Erscheinen des ersten Bandes vergangen, und während dieser Zeit hatte Fontane Stil und Struktur seiner Bände mehrfach geändert. Der »ursprüngliche Plauderton« wich zunächst einer »historischen Vortragsweise«, die besonders im zweiten Band (*Oderland*) vorherrscht, danach kehrte Fontane bei den Bänden drei und vier zu der usprünglichen Weise zurück. »Auch *sie* noch weisen genug des Historischen auf, aber es verbirgt sich oder sucht sich wenigstens zu verbergen.«

Ende der achtziger Jahre erschienen *Altes und Neues aus der Mark Brandenburg* unter dem Titel *Fünf Schlösser.* »Das Buch einfach als eine Fortsetzung meiner ›Wanderungen‹ zu bezeichnen oder gar in diese direkt einzureihen, ist mit allem Vorbedacht von mir vermieden worden, da, trotz leicht erkennbarer Verwandtschaft, doch auch erhebliche Verschiedenheiten zu Tage treten.«

Am Beginn des folgenden Jahrzehnts brachte der Verlag eine sogenannte ›Wohlfeile Ausgabe‹ heraus. Sie erschien zunächst in 20 Einzellieferungen für je 1 Mark, später wurden diese zu Bänden aufgebunden, und der Ladenpreis betrug nun je Band nur 5 Mark gegenüber 7 Mark zuvor. Auch hatte der Verlag einen neuen Einband entwerfen lassen. »Die Bände sehen sehr gut aus und die Fichte mit Wasser und Berg macht sich vortrefflich. [...] Ich würde sogar gern drin lesen und ausprobieren, wie das alles nach so vielen Jahren auf mich wirkt, aber ich habe nicht mehr die Kraft dazu, gerade lesen strengt mich am meisten an. Vielleicht ist es auch gut so, man ist nach 30 Jahren immer sein strengster Richter.« Über eine genaue Abfolge der einzelnen Auflagen orientiert die anschließende ›Chronologische Übersicht‹.

Für Fontane waren die *Wanderungen* ein wichtiges literarisches, aber auch ein wirtschaftliches Unternehmen. Bis zu seinem Tode (1898) erschienen bei Hertz, alle Neuauflagen eingerechnet, 19 Bände mit insgesamt 22350 Exemplaren, für die Fontane ein Honorar von rund 22500 Mark erhielt. Für die Arbeit von 35 Jahren war die Summe in der Relation zu den Honoraren anderer Autoren eher gering. So erhielt Paul Heyse für die Ausgaben seiner ersten beiden Romane die Summe von fast 76000 Mark und der Bestsellerautor der Zeit, Julius Wolff, für ein Buch 45000 Mark. Fast alle Kapitel der *Wanderungen* erschienen außerdem in Vorabdrucken in verschiedenen Zeitungen und Zeitschriften. Da diese Drucke allgemein ein höheres Honorar abwarfen, war die Zweitverwertung unter wirtschaftlichen Gesichtspunkten äußerst wichtig, sie war aber auch ein wichtiger Werbehelfer – heute würde man sagen: Multiplikator. Fontane sprach in den verschiedenen Zeitschriften mit ihren großen Auflagen wichtige Leserkreise und damit potentielle Käufer der Buchausgaben an. Gelegentlich der dritten Auflage des ersten Bandes schrieb er an seinen Verleger Hertz: »Die Schicksale von Büchern sind bekanntlich nicht zu berechnen, aber ich habe ein starkes Gefühl davon, daß auch *dieser* Band und zwar à tout prix wieder gekauft werden wird. Den Grund finde ich nicht in meinen Verdiensten, sondern in der Unsumme von Individuen, die in diesem Bande vorkommen. Auch jedes Dorf faß' ich dabei als ein Individuum. Zudem bin ich in diesen

10 Jahren zwar nicht klüger und besser, aber bekannter geworden.«

Das, was er von Beginn an wollte, hatte er erreicht, denn »ich hatte einfach vor, *ohne jegliche Prätension von Forschung, Gelehrsamkeit, historischem Apparat* etc. meinen Landsleuten zu zeigen, daß es in ihrer nächsten Nähe auch nicht übel sei«. Später zog er die Summe: »Mein stolzes Beginnen lief nun darauf hinaus: Allerkleinstes – auch Prosaisches nicht ausgeschlossen – exakt und minutiös zu schildern und durch scheinbar einfachste, aber gerade deshalb schwierigste Mittel: durch Simplizität, Duchsichtigkeit im einzelnen und Übersichtlichkeit im ganzen, auf eine gewisse künstlerische Höhe zu heben, ja, es dadurch sogar *interessant* oder wenigstens lesensmöglich zu machen.«

Chronologie der Wanderungen

1859 Juli: erste Wanderungen in der Mark nach Neuruppin und Ruppiner Land und erste Vorabdrucke in ›Preußische Zeitung‹ – ›Neue Preußische (Kreuz-) Zeitung‹ – Cottas ›Morgenblatt für gebildete Stände‹.

1861 24. Februar: Verlagsvertrag mit Wilhelm Hertz über einen Band *Wanderungen durch die Mark Brandenburg* und Plan eines weiteren Bandes.
Mitte November *Wanderungen durch die Mark Brandenburg von Theodor Fontane*, vordatiert auf 1862 – (Auflage: 1000 Exemplare – Honorar: 300 Taler) Fontane empfing stets ein Honorar für die Auflage in ›Bausch und Bogen‹, das heißt einen Pauschalbetrag, damit entfiel eine Abrechnung nach ›verkauften Exemplaren‹.

1863 28. Mai: Vertrag mit Wilhelm Hertz über einen weiteren Band (Oderland), und Fontane verpflichtet sich, einen bereits geplanten dritten Band dem Verlag anzubieten.
November: erscheinen *Wanderungen durch die Mark Brandenburg. Zweiter Theil. – Das Oderland. Barnim. Lebus* (Auflage: 1 250 Exemplare – Honorar: 442 Taler).
Das Gesamtwerk führt ab jetzt den Haupttitel *Wanderungen durch die Mark Brandenburg.*

1864 Ende Oktober: eine zweite Auflage des ersten Bandes erscheint, datiert auf 1865, mit einer neuen Titelei: *Wanderungen durch die Mark Brandenburg. Erster Theil. Die Grafschaft Ruppin Barnim-Teltow.* – Der Band war dabei wesentlich umgearbeitet worden (Auflage: 800 Exemplare – Honorar: 200 Taler).

1867 der zweite Band *Das Oderland. Barnim-Lebus* erscheint in zweiter Auflage, bereits auf das Jahr 1868 vordatiert und überarbeitet (Auflage: 800 Exemplare – Honorar: 160 Taler).

1872 Fontane schließt mit Hertz einen Vertrag über einen dritten Band (Havelland) ab.

Anfang Oktober erscheint mit der Jahreszahl 1873 der dritte Band der *Wanderungen. Ost-Havelland* (Auflage: 1 500 Exemplare – Honorar: 600 Taler).

1873 September einigen sich Fontane und Hertz auf einen endgültigen Umfang der *Wanderungen* auf vier Bände und für einen letzten Band *Spreeland*.

1874 September: die dritte Auflage von *Die Grafschaft Ruppin*, datiert auf 1875, erscheint in völliger Umgestaltung (Auflage: 1 000 Exemplare – Honorar: 400 Taler).

1879 in dritter Auflage erscheint *Das Oderland. Barnim-Lebus.*, vordatiert auf 1880, wesentlich verbessert. (Auflage: 1000 Exemplare – Honorar: 1 000 Mark; ab jetzt werden die Honorarbeträge in Mark – nach dem neuen Münzgesetz – abgerechnet.)

1880 Sommer: in zweiter, verbesserter Auflage erscheint mit nun endgültigem Titel *Wanderungen durch die Mark Brandenburg. Dritter Theil. Havelland. Die Landschaft um Spandau, Potsdam, Brandenburg* (Auflage: 1000 Exemplare – Honorar: 1 000 Mark).

1881 Beginn der Arbeiten für den Band *Spreeland*

1881 Februar: Fontane schließt einen Verlagsvertrag mit Wilhelm Hertz über den vierten Band *Spreeland*, und bereits im November erscheint der Band: *Wanderungen durch die Mark Brandenburg. Vierter Theil. Spreeland. Beeskow-Storkow und Barnim-Teltow*, bereits auf 1882 vordatiert (Auflage: 1 500 Exemplare – Honorar: 1 800 Mark).

1882 November: eine vierte, überarbeitete Auflage von *Die Grafschaft Ruppin* erscheint, vordatiert auf 1883 (Auflage: 1 000 Exemplare – Honorar: 1 200 Mark).

1886 die zweite, unveränderte Auflage von *Spreeland. Beeskow-Storkow und Barnim-Teltow* erscheint (Auflage: 1000 Exemplare – Honorar: 1 200 Mark).

1888 in vierter, unveränderter Auflage, vordatiert auf 1889 erscheint *Das Oderland. Barnim. Lebus* (Auflage: 1000 Exemplare – Honorar: 1 200 Mark), zum etwa gleichen Zeitpunkt erscheint auch eine dritte, gegenüber der zweiten unveränderte, auf 1889 vordatierte Auflage von *Havelland. Die Landschaft um Spandau,*

Potsdam, Brandenburg (Auflage: 1 000 Exemplare – Honorar: 1 200 Mark).

1889 erscheinen *Fünf Schlösser* (Auflage: 1 500 Exemplare – Honorar: 2 250 Mark).

1892 beginnt die sogenannte ›Wohlfeile Ausgabe‹ – es ist die Ausgabe ›letzter Hand‹, d. h. die letzte Ausgabe, die Fontane betreute – mit einer fünften Auflage von *Die Grafschaft Ruppin* in erweiterter Form zu erscheinen, im November liegt die vierte Auflage von *Havelland. Die Landschaft um Spandau, Potsdam, Brandenburg* vor, wiederum ein unveränderter Nachdruck der zweiten Auflage von 1880, desgleichen eine dritte, weiterhin unveränderte Auflage von *Spreeland. Beeskow-Storkow und Barnim-Teltow* (Auflage: je Band 1 500 Exemplare – Honorar: 4 800 Mark für alle vier Bände).

1893 im Januar liegt als letzter Band der ›Wohlfeilen Ausgabe‹ die fünfte Auflage von *Das Oderland. Barnim. Lebus*, datiert auf 1892, in unverändertem Abdruck der dritten Auflage von 1880 vor (Auflage: 1 500 Exemplare – Honorar ist in den 4 800 Mark enthalten).

1901 gehen die Rechte für die vier Bände der *Wanderungen durch die Mark Brandenburg* und für *Fünf Schlösser* durch Verkauf an die Cotta'sche Buchhandlung in Stuttgart über, alle folgenden Ausgaben erscheinen dort, bis

1928 die Rechte – 30 Jahre nach Fontanes Tod – erlöschen und für alle Verlage frei werden.

Fundstellen der angeführten Zitate

Für die Zitate aus den *Wanderungen durch die Mark Brandenburg* wurden die Bände der sogenannten ›Wohlfeilen Ausgabe‹ genutzt – die letzte Ausgabe, die Fontane noch betreute (Seite 203 und 209). Die Zitate und ihr textliches Umfeld können auch leicht in jeder anderen Ausgabe nach den Kapitelüberschriften gefunden werden. In der nachfolgenden Liste werden die Zitate in der Reihenfolge des Zitierens – jeweils auf die Textseite bezogen – angegeben, maßgebend ist dabei der Beginn des Zitates. Folgende Siglen werden benutzt.

EA	Theodor Fontane, Wanderungen durch die Mark Brandenburg, Berlin 1862. (Erstausgabe) Theodor Fontane, Wanderungen durch die Mark Brandenburg. (Wohlfeile Ausgabe)
I	Erster Theil. Die Grafschaft Ruppin. (Fünfte Auflage), Berlin 1892
II	Zweiter Theil. Das Oderland. Barnim-Lebus. (Fünfte Auflage), Berlin 1893
III	Dritter Theil. Havelland. Die Landschaft um Spandau, Potsdam, Brandenburg. (Vierte Auflage), Berlin 1892
IV	Vierter Theil. Spreeland. Beeskow-Storkow und Barnim-Teltow. (Dritte Auflage), Berlin 1892
FS	Theodor Fontane, Fünf Schlösser. Altes und Neues aus Mark Brandenburg, Berlin 1889
GBA Ge 1-3	Theodor Fontane, Gedichte. Band 1-3, Aufbau-Verlag, Berlin und Weimar 1995. (Große Brandenburger Ausgabe)
GBA TB 1-2	Theodor Fontane, Tagebücher. Band 1-2, Aufbau-Verlag, Berlin und Weimar 1994. (Große Brandenburger Ausgabe)
GBA Wa 1-7	Theodor Fontane, Wanderungen durch die Mark Brandenburg. Band 1-7, Aufbau-Verlag, Berlin und Weimar 1994. (Große Brandenburger Ausgabe)

Theodor Fontane, Werke, Schriften und Briefe, hrsg. von W. Keitel und H. Nürnberger. Carl Hanser Verlag, München 1962-1976

HF I Abteilung I, Bd. 1-7, Sämtliche Romane, Erzählungen, Gedichte, Nachgelassenes.

HF III Abteilung III, Band 1-5, Aufsätze – Kritiken – Erinnerungen.

HF IV Abteilung IV, Band 1-4, Briefe. Hrsg. von O. Drude, H. Nürnberger u. a.

NF Theodor Fontane, Sämtliche Werke, hg. von E. Groß, K. Schreinert u. a., Band I-XXIV. Nymphenburger Verlagshandlung, München 1959-1975

AF Ro 1-8 Theodor Fontane, Romane und Erzählungen, Band 1-8. Aufbau-Verlag, Berlin und Weimar 1993

FBl Fontane-Blätter

AZL Theodor Fontane, Aufzeichnungen zur Literatur. Ungedrucktes und Unbekanntes. Hrsg. von H. H. Reuter. Aufbau-Verlag, Berlin und Weimar 1969

BE I/II Fontanes Briefe in zwei Bänden. Ausgewählt und erläutert von G. Erler. Aufbau-Verlag, Berlin und Weimar 1968

P 1-4 Theodor Fontanes Briefe I-IV. Hrsg. von K. Schreinert und Chr. Jolles. Propyläen Verlag, Berlin 1968-1971

FHe Theodor Fontane. Briefe an Wilhelm und Hans Hertz (1859-1898). Hrsg. von K. Schreinert und G. Hay. Ernst Klett Verlag, Stuttgart 1972

DüD I-II Dichter über ihre Dichtungen. Bd. 12/I-II. Theodor Fontane. Hrsg. von R. Brinkmann und W. Wiethölter. Heimeran Verlag, München 1973

Goethe Johann Wolfgang Goethe. Sämtliche Werke. 1. Abteilung, Band 13. Hrsg. von H. Fricke. Deutscher Klassiker Verlag, Frankfurt am Main 1993

Kleist Heinrich von Kleist, Sämtliche Werke und Briefe. Band 2: Dramen von 1808-1811. Hrsg. von Ilse-Marie Barth und H. C. Seeba. Deutscher Klassiker Verlag, Frankfurt am Main 1987

GW I-XIII Thomas Mann, Gesammelte Werke in dreizehn Bänden. Hrsg. von H. Bürgin und P. de Mendelssohn. S. Fischer Verlag, Frankfurt am Main 1990

Ring Max Ring, Erinnerungen. Band 1-2, Berlin 1898

Die Grafschaft Ruppin: [11] IV,451. [12] IV,459. [15] I,3. [18] I,5-6 – I,12-14. [19] HF III,3/1,274 – GBA Ge I,190-191. [20] I,43. [21] HF IV,4,66 – GW XIII,817. [25] GBA Ge I,40. – I,45. [26] I,98 – I,106 – I,126-128. [27] I,122-123. [28] I,259. [29] EA,VI – I,270. [33] I,306 – HF IV,3,692. [34] BE II,394 – GBA Ge 3,276 – I,331-333. [35] I,342-343 – HF I,5,7. [36] HF IV,4,650 – HF I,5,7. [38] GW IX,23 – HF I,5,77 – I,493 – HF I,3,711. [39] I,493-496. [41] I,509 – I,510 – I,510-511. [43] FS,157 – FS,159 – FS,159 – FS,176 – FS,180. [44] FS,214 – FS,216-217. [45] FS,227 – FS,227-228 – FS,229 – HF I,7,268-269. [46] EA,162 – EA,162-163. [47] Kleist,642 – AZL,37 – NF XXII/I,508-511. [48] EA,165. [49] I,416 – I,416 – I,420. [52] GBA Ge 2,130 – I,441 – GBA Wa 6,109 – I,442-443. [53] I,460 – I,460-461. [54] GBA Wa 6,118 – GBA Wa 7,12-13 – GBA Ge,2,431. [55] HF IV,3,727 – HF IV,4,588 – HF IV,4,589 – HF IV,4,592.

Havelland: [59] III,193 – HF III,3/1,274. [60] III,XII-XIII – HF IV,2,34. [61] III,135 – III,136 – III,135. [62] III,140-141 – EA,217 – III,144-145. [63] III,149 – HF IV,2,51. [64] III,150 – III,160. [65] HF IV,2,51 – III,161 – III,161 – HF III,4,284. [68] III 163 – III,164 – III,165-166. [69] III,174-176. [70] FBl 57,5. [71] FBl 57,6. [72] HF III,4,1011-1012 – HF IV,3,139. [73] GBA Ge I,250 – HF IV,3,711 – III,201. [74] III,203-204 – III,204-205 – III,206. [75] III,215 – III,254. [77] III,256 – III,258. [78] III,297 – III,297 – III,289. [79] III,310 – HF IV,4,347. [82] III,310-311 – AF Ro 8,437 – FHe,144. [83] III,341-342 – III,342-343. [84] HF I,1,660 –III,347 – III,354 – III,355-356. [87] III,405-406 – III,407. [88] III,415 – III,413 – III,413-414. [89] P2,304 – III,418 – III,421. [90] III,425 – III,426. [91] III,427-428. [94] III,460-461 – III,462-463. [95] III,465 – III,464 – III,464. [96] EA,172 – III,101-102. [97] III,104. [100] Oderland 1863,547 – HF I,4,84 – HF I,4,25. [101] III,66 – III,38-40. [104] HF I,3,458-460. [105] III,66-67 – III,67-68. [107] FS,454-457. [110] Ring II,185.

Oderland: [115] III,81 – III,81-82. [116] 94. [118] GBA Ge I,319 – II,487-488. [120] II,493-494 – II, 43-46. [121] II,95 – II,96 – HF IV,2,165.

[*122*] II,61 – HF III,4,152. [*124*] HF III,4,158 – HF III,4,162 – GBA Ge 1,40. [*125*] HF IV,2,75-77. [*126*] II,37. [*128*] II,39. [*129*] HF I,3,131-132 – II,136. [*130*] II,121. [*132*] II,170 – HF I,3,131 – II,177-178. [*134*] II,183-184 – II,186-187. [*135*] II,191 – II,409 – II,410. [*136*] II,414 – II,159 – II,165 – II,167. [*137*] II,144 – II,145-146. [*140*] II,147 – II,155 – II,156-157. [*141*] II,158 – II,100,104-105. [*142*] II,105-106 – II,110 – II,195-196. [*143*] GBA Ge 1,187 – II,212. [*144*] II,217 – HF IV,1,706 – II,144 – II,225. [*145*] II,226 – II,227 – II,241. [*146*] HF IV,2,163 – EA,328. [*147*] II,302 – GBA Ge,3,189. [*148*] II,344 – II,369 – II, 379. [*149*] II,382 – II,382-383.

Spreeland: [*153*] IV,3 – IV,6-8. [*154*] GBA TB 2,107. [*155*] IV,58. [*158*] HF I,5,141 – IV,74-75. [*159*] GBA Wa 6,557 – HF IV,3,319 – HF IV,3,320 – HF IV,3,322 – HF IV,3,323. [*160*] HF I,2,388 – HF IV,2,71. [*161*] IV,89 – IV,95-96. [*162*] IV,97 – HF III,3/1,181 – IV,101-102. [*164*] IV,103 – IV,104-105. [*165*] IV,107. [*166*] IV,111-112 – IV,114 – IV,117. [*167*] IV,117 – IV,130. [*168*] FHe,12 – IV,170 – IV,171. [*169*] IV,175-176 – IV,186. [*170*] HF IV,4,487-488 – IV,220 – IV,224 – IV,225 – IV,227. [*172*] IV,228 – Goethe,391 – IV,229-230. [*173*] HF IV,2,70. [*174*] IV,253 – IV,255 – IV,259 – IV,261. [*175*] IV,270 – HF,IV,2,70. [*177*] IV,277 – IV,279 – IV,280. [*178*] HF IV,4,384 – IV,281 – IV,281. [*179*] GBA Wa 6,54-56. [*180*] IV,300-301. [*183*] IV,304-305 – HF III,4,15-16. [*184*] IV,282 – IV,285. [*185*] IV,287-288 – IV,290. [*188*] HF IV,4,454-455. [*190*] FHe,48 – GBA Wa 6,254 – GBA Wa 6,254-257. [*192*] GBA Ge 3,264 – EA,377 – EA,377-378. [*194*] EA,380 – EA,381 – EA,381-382 – GBA Ge 2,242.

Nachwort: [*197*] GBA Ge 2,84 – HF IV,1,543 – GBA TB 1,161. [*198*] HF IV,2,51 – HF III 3/1,558 – GBA TB 1,251. [*199*] HF III 3/1,274 – HF IV,3,605. [*200*] GBA Wa 8,312-313. [*201*] FHe 12. [*203*] IV,451-452 – FS III – HF IV,4,240. [*204*] FHe 160. [*205*] HF IV,1,51 – HF IV,4,415.

Bildlegenden

Seite 4: Blick auf Schloß Wustrau am Ruppiner See
Seite 16/17: Der Ruppiner See
Seite 22/23: Die Löwenapotheke in Neuruppin – Theodor Fontanes Geburtshaus
Seite 24: Der Ruppiner See von Neuruppin aus
Seite 30/31: Schloß Rheinsberg am Grienericksee
Seite 32: Schloß Meseberg
Seite 37: Am Wutzsee
Seite 40: Ferbelliner Landschaft
Seite 50/51: Märkische Landschaft
Seite 66/67: Schloß Oranienburg
Seite 76: Das Grab des ›Architekten des Königs‹ Friedrich Ludwig Persius auf dem Friedhof von Bornstedt
Seite 80/81: Schloß Marquardt
Seite 83: Kirche in Paretz
Seite 86: Am Ufer des Schwielowsees
Seite 92/93: Schloß Petzow
Seite 98/99: Im Havelländischen Luch
Seite 103: Kloster Lehnin
Seite 117: Kloster Chorin
Seite 119: Am Werbellin
Seite 123: Henri Fontanes Haus in Schiffsmühle
Seite 127: Oderbruch
Seite 131: An der Oder
Seite 133: Grab in Kunersdorf
Seite 138/139: Im Park von Neu-Hardenberg
Seite 156/157: Hankels Ablage
Seite 163: Schloß Köpenick
Seite 171: Kirche in Werneuchen
Seite 181/182: Groß-Beeren
Seite 186/187: Klein-Machenow
Seite 189: Das Grab der Elisabeth von Plotho in Stahnsdorf
Seite 193: An der Havel

Ortsregister

Am Wannensee 190
Angermünde 115

Bad Freienwalde 120
Baumgartenbrück 87
Beeskow-Storkow 154
Berlin 42
Bernau 115, 170
Blankenfelde 168
Blumberg 170
Blumental 135
Bornim 78
Bornstedt 75, 78
Bötzow 62
Brandenburg 101
Buch 168
Buckow 141

Caputh 87, 89, 90
Chorin 115
Cottbus 153
Cremmen 61

Dobbertin 54, 55
Dosse 46

Eberswalde 115, 122

Fehrbellin 46, 61, 143
Ferch 87
Frankfurt/Oder 125
Freienwalde 122, 137, 141
Friedersdorf 144, 144
Friedland 136
Friedrichsfelde 167
Friesack 97
Fürstenwalde 154

Ganzer 52
Grafschaft Ruppin 13
Gransee 33, 35, 39
Griebnitzsees 104
Grienericksee 28
Groß-Beeren 179
Groß-Rietz 154
Grünau 155
Gusow 142, 144

Hakenberg 46
Havelländische Luch 96
Hoppenrade 42
Huvenowsee 33

Klein-Machenow 184
Kleists Grab 107
Königswusterhausen 158, 160, 173
Köpenick 155, 160, 161
Kunersdorf 132, 136
Küstrin 146, 146, 148

Lehde 153
Lehnin 101
Letschin 137
Lindow 38, 39
Linum 61

Lübben 153
Lübbenau 153

Marly-Garten 72
Marquardt 78, 82, 86
Menzer Forst 35
Meseberg 33
Mittenwalde 175
Möglin 129
Müggelsberge 165
Müggelsee 165
Müncheberg 142
Müritz 55

Neu-Hardenberg 137
Neuruppin 15, 20, 28, 61
Neustadt 49, 52
Neustadt an der Dosse 49

Oderbruch 125
Oranienburg 61, 61

Pankow 168
Paretz 85
Petzow 87, 90, 90
Pfaueninsel 73
Pieskow 154
Potsdam 59, 70

Rathenow 147
Rheinsberg 28, 34, 36
Rhin 34, 46
Rüdersdorf 142
Ruppiner Schweiz 34
Ruppiner See 15

Saarow 154
Sanssouci 71, 72, 75
Scharmützel-See 141
Schermützel-See 141
Schildhorn 192
Schlänitz-See 78
Schönhausen 168
Schwedt 125
Schwielow 87, 91
Seelow 132, 142, 144
Spandau 65, 129
Spreewald 153
Stahnsdorf 185
Stechlin 35
Stralau 158
Strausberg 129

Tamsel 146, 148
Tangermünde 147
Tegel 65, 65
Teupitz 155, 158, 160, 175
Tornow-See 142
Tramnitz 52, 53
Treptow 158
Trieplatz 52, 53

Wannsee 73, 190
Waren 55, 56, 59
Wedding 65
Werbellin 118, 120
Werder 94
Werneuchen 170
Wriezen 129, 135
Wublitz 78
Wust 147

Wusterhausen an der Dosse 52
Wustrau 15
Wuthenow 19
Wutzsee 38
Zeuthen 158
Zeuthener See 159
Zorndorf 146

Mecklenburg-Vorpommern
Wittstock
Dosse
Neuruppin
Elbe
Neustadt/Dosse
Wusterhausen/
Dosse
Rhin-Kanal
Rathenow
Plaue
Brandenburg
Plauer See
Lehnin
Elbe
Ziesar
Sachsen-Anhalt

Ravensbrück
Havel
Gransee
Zehdenick
Angermünde
Chorin
Oder-Havel-Kanal
Sachsenhausen
Eberswalde
POLEN
Oranienburg
Bernau
Buch
Niederschönhausen
Neu-Hardenberg
BERLIN
Friedrichsfelde
Köpenick
POTSDAM
Wilmersdorf
Spree
Fürstenwalde
Potsd.-Babelsberg
Markrafpieske
FRANKFURT AN DER ODER
Oder-Spree-Kanal
Königs Wusterhausen
Blankensee
Selchower See
Luckenwalde
Schwielochsee
Neuzelle
Kloster Zinna
Jüterbog
Lieberose
Lübben
Wiepersdorf
Straupitz
Stolzenhain
Luckau
Lehde
Klöden
COTTBUS
Frankendorf
Drehna
Bad Muskau
Finsterwalde

Literatur und Reisen
im insel taschenbuch

Alt-Prager Geschichten. Gesammelt von Peter Demetz. Mit Illustrationen von Hugo Steiner-Prag. it 613

Alt-Wiener Geschichten. Gesammelt von Joseph Peter Strelka. Mit sechs farbigen Abbildungen. it 784

Ernst Batta: Römische Paläste und Villen. Annäherung an eine Stadt. Mit zahlreichen Abbildungen. it 1324

Sigrun Bielfeldt: Moskau. Ein literarischer Führer. Mit zahlreichen Abbildungen. it 1382

Bodensee. Reisebuch. Herausgegeben von Dominik Jost. Mit zahlreichen Abbildungen. it 1490

Bonn. Ein literarisches Stadtporträt. Herausgegeben von Doris Maurer und Arnold E. Maurer. Mit zahlreichen Abbildungen. it 1224

Budapest. Reisebuch. Herausgegeben von Wilhelm Droste, Susanne Scherrer und Kristin Schwamm. Mit zahlreichen Fotografien. it 1801

Friedrich Dieckmann: Dresdner Ansichten. Spaziergänge und Erkundungen. Mit farbigen Fotografien. it 1766

Dresden. Ein literarisches Stadtporträt. Herausgegeben von Katrin Nitzschke. Unter Mitarbeit von Reinhard Eigenwill. Mit zahlreichen Abbildungen. it 1365

Gustav Faber: Reisen durch Deutschland. Mit farbigen Fotografien. it 1195

Flandern. Ein literarisches Landschaftsbild. Herausgegeben von Werner Jost und Joost de Geest. it 1254

Florenz. Ein literarisches Stadtporträt. Herausgegeben von Andreas Beyer. Mit zahlreichen Illustrationen. it 633

Florida. Ein literarisches Landschaftsbild. Herausgegeben von Katharina Frühe und Franz Josef Görtz. Mit zahlreichen Abbildungen. it 1492

Theodor Fontane: Jenseit des Tweed. Bilder und Briefe aus Schottland. Mit zahlreichen Abbildungen und einem Nachwort herausgegeben von Otto Drude. it 1066

– Ein Sommer in London. Mit einem Nachwort von Harald Raykowski. it 1723

Georg Forster: Reise um die Welt. Herausgegeben und mit einem Nachwort von Gerhard Steiner. it 757

Frankfurt. Reisebuch. Herausgegeben von Herbert Heckmann. Mit zahlreichen Abbildungen. it 1438

Johann Wolfgang Goethe: Italienische Reise. Mit vierzig Zeichnungen des Autors. Herausgegeben und mit einem Nachwort versehen von Christoph Michel. it 175

158/1/12.95

Literatur und Reisen
im insel taschenbuch

Johann Wolfgang Goethe: Tagebuch der Italienischen Reise 1786. Notizen und Briefe aus Italien. Mit Skizzen und Zeichnungen des Autors. Herausgegeben und erläutert von Christoph Michel. it 176
– Kampagne in Frankreich 1792. Belagerung von Mainz. Herausgegeben und mit einem Nachwort von Jörg Drews. Mit zeitgenössischen Abbildungen. it 1525
Dietmar Grieser: Wiener Adressen. Ein kulturhistorischer Wegweiser. it 1203
Walter Haubrich / Eva Karnofsky: Die großen Städte Lateinamerikas. Sechzehn Städtebilder. Von Walter Haubrich und Eva Karnofsky. Mit farbigen Fotografien. it 1601
Hamburg. Ein literarisches Stadtporträt. Herausgegeben von Eckart Kleßmann. it 1312
Victor Hehn: Olive, Wein und Feige. Kulturhistorische Skizzen. Herausgegeben von Klaus von See unter Mitwirkung von Gabriele Seidel-Leimbach. Mit farbigen Abbildungen. it 1427
Heidelberg- Lesebuch. Stadt-Bilder von 1800 bis heute. Herausgegeben von Michael Buselmeier. it 913
Heinrich Heine: Italien. Mit farbigen Illustrationen von Paul Scheurich. it 1072
Hermann Hesse: Luftreisen. Berichte und Gedichte. Herausgegeben und mit einem Nachwort versehen von Volker Michels. Mit zahlreichen Abbildungen. it 1604
– Mit Hermann Hesse durch Italien. Ein Reisebegleiter durch Oberitalien. Mit farbigen Fotografien. Herausgegeben von Volker Michels. it 1120
– Tessin. Betrachtungen, Gedichte und Aquarelle des Autors. Herausgegeben von Volker Michels. it 1494
Mit Hermann Hesse reisen. Betrachtungen und Gedichte. Herausgegeben von Volker Michels. it 1242
Erhart Kästner: Griechische Inseln. Aufzeichnungen aus dem Jahre 1944. Mit einem Nachwort von Heinrich Gremmels. it 118
– Kreta. Aufzeichnungen aus dem Jahre 1943. Mit einem Nachwort von Heinrich Gremmels. it 117
– Ölberge, Weinberge. Ein Griechenland-Buch. Mit Zeichnungen von Helmut Kaulbach. it 55
– Ölberge, Weinberge. Die Stundentrommel vom heiligen Berg Athos. 2 Bände in Kassette. it 55/56
– Die Stundentrommel vom heiligen Berg Athos. it 56

158/2/12.95

Literatur und Reisen
im insel taschenbuch

Harald Keller: Die Kunstlandschaften Italiens. Toskana. Florenz. Umbrien. Rom. Lombardei. Emilia. Venedig. Zwei Bände in Kassette. Mit zahlreichen Abbildungen. it 1576

London. Ein literarisches Stadtporträt. Herausgegeben von Norbert Kohl. it 322

Doris Maurer / Arnold E. Maurer: Literarischer Führer durch Italien. Ein Insel-Reiselexikon. Mit zahlreichen Abbildungen, Karten und Registern. it 1071

Günter Metken: Reisen durch Europa. Andere Wege zu Kunst und Kultur. Von Günter Metken. Mit zahlreichen Fotografien. it 1572

Mit Fontane durch die Mark Brandenburg. Herausgegeben von Otto Drude. Mit farbigen Fotografien von Christel Wollmann-Fiedler. it 1798

Mit Rilke durch das alte Prag. Herausgegeben von Hartmut Binder. Mit zahlreichen Abbildungen. it 1489

Michel de Montaigne: Tagebuch einer Reise durch Italien. Aus dem Französischen von Otto Flake. it 1074

München. Ein literarisches Stadtporträt. Herausgegeben von Reinhard Bauer und Ernst Piper. Mit zahlreichen Abbildungen. it 827

Ernst Penzoldt: Sommer auf Sylt. Liebeserklärungen an eine Insel. Mit farbigen Zeichnungen des Verfassers. Herausgegeben von Volker Michels. it 1424

Potsdam. Ein literarisches Stadtporträt. Herausgegeben von Doris Maurer und Arnold E. Maurer. Mit farbigen Abbildungen. it 1432

Prag. Ein literarisches Stadtporträt. Herausgegeben von Jana Halamičková. Mit zahlreichen Abbildungen. it 994

Reisen mit Mark Twain. Für Reiselustige ausgewählt und zusammengestellt von Norbert Kohl. it 1594

Rom. Ein literarisches Stadtporträt. Herausgegeben von Michael Worbs. it 921

Salzburg. Ein literarisches Stadtporträt. Herausgegeben von Adolf Haslinger. Mit zahlreichen Abbildungen. it 1326

Schwarzwald und Oberrhein. Ein literarisches Landschaftsbild mit literarischem Führer im Anhang. Herausgegeben von Hans Bender und Fred Oberhauser. Mit zahlreichen Abbildungen. it 1330

Sommerliebe. Zärtliche Geschichten. Für den Reisekoffer gepackt von Franz-Heinrich Hackel. it 1596

Südtirol. Ein literarisches Landschaftsbild. Herausgegeben von Dominik Jost. it 1317

Toskana. Ein literarisches Landschaftsbild. Herausgegeben von Andreas Beyer. Mit Fotografien von Loretto Buti. it 926

158/3/12.95